POESIAS COMPLETAS
DE
CASIMIRO DE ABREU

Peça êste livro
pelo número 83

Poesias Completas de

CASIMIRO DE ABREU

Canções do exílio — Camões e Jau — Brasilianas
Cânticos — As Primaveras e Páginas em prosa

Prefácio de
MURILLO ARAÚJO

EDIÇÕES DE OURO

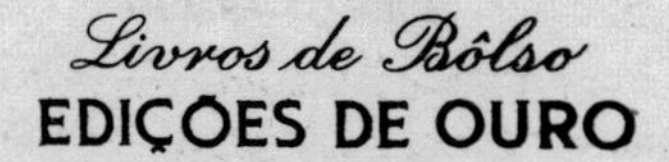

publicado e impresso por
TECNOPRINT GRÁFICA Editôra
rua da proclamação, 109 - caixa postal 1880 - zc-00
rio de janeiro - brasil
MCMLXV

Casimiro, a Poesia e a Infância

POR MURILLO ARAUJO

"A santidade" — disse a menina santa, a menina Terêsa, "a santidade é o espírito de infância".

E espírito de infância, *definiria eu também a poesia — essa outra forma de êxtase... Ser poeta é conservar tôda a vida o deslumbramento da criança, capaz de descobrir a cada instante um tesouro. Ser poeta é ser, como os pequeninos, amplamente capaz de sorrir e de crer, de sonhar ou chorar...*

Casimiro de Abreu era, pois, o puríssimo Poeta. Sua alma tinha o timbre alvorescente — e tão ingênuo! — de uma menina deslumbrada...

Foi no tempo que recordava com lágrimas, e lágrimas de prazer, que encontrou a "virgem loura", *nova, de olhos azues e face imaculada — e viu que "era a Poesia".*

Creou seu primeiro poema na infância, e com o pensamento na infância. Êle mesmo relembrou, certa vez, êsse instante de revelação transfigurada. Foi à hora do crepúsculo, em Friburgo, no Colégio onde fazia os primeiros estudos. Pensou no lar distante... — "Parecia-me" — confessou — "ouvir o eco das risadas infantís de minha irmã pequena. As lágrimas correram e fiz os primeiros versos..."

E o maior de seus cantos é a arraiada com pássaros que chamou "Meus oito anos".

Quem já não vibrou, no Brasil, com êsse hino nacional de nossa infância ?

☆

O conceito lírico de Casimiro está impregnado de pureza, de fervor, de timidez, de angelitude ou de enlêvo — de tôdas as virtudes próprias das primeiras idades.

Pureza:

Na vida que nos corre tão sombria
Eu seria, meu Deus, seu doce guia,
E ela — minha irmã.

Fervor :

Creio em Deus, amo a Pátria e, em noites lindas,
Minh'alma, aberta em flor, sonha contigo.

Timidez :

Bem vês: traí-me no fatal segrêdo:
Se de ti fujo, é que te adoro e muito;
És bela — eu moço; tens amor, eu — mêdo !

Angelitude :

Conchinha das lisas praias
Nasceste em alvas areias;
Não corras tu para os charcos
Arrebatada nas cheias...

Enlêvo, o arrebatado enlêvo de uma criança, sonhando num jardim de milagres. Sua ternura é puro êxtase :

... no sonho de amôres
Chamava por mim.
E a voz suspirosa nos lábios morria
Tão terna e tão meiga qual vaga harmonia
De algum bandolim.

Outro aspecto translúcido dêsse espírito de anjo é a devoção com que olha a virgindade ou a inocência. Sua candura transluz, a cada frase do volume tão casto, ora avisando uma jovem imprudente, ora consigo mesmo; freiando os impulsos de um coração moço e ansioso. Como é boa e sábia sua advertência às ingênuas que, como a rosa que cantou, recusam um afeto delicado, e desprezam a brisa : —

"Tu passas de noite e dia
Sem poesia
A repetir-me os teus ais;
Não te adoro... quero o Norte
Que é mais forte,
Que é mais forte e eu amo mais !"

No outro dia a pobre rosa
Tão vaidosa
No hastil se debruçou;
Pobre dela! Teve a morte,
Porque o Norte,
Porque o Norte a desfolhou!...

Mas não só a essência dessa arte tem o aroma da infância. Sua expressão diáfana indica a mesma origem celeste.

Casimiro de Abreu balbucia em voz simples. Casimiro nos fala com a música de uma criança que não fôsse do mundo...

A retórica não empana com os vapores vazios os traços gravados nesse puro cristal...

E as imagens alí são ingênuas e brancas como bibelots *de presépio. Elas nos mostram a cada passo as estrêlas e os lírios, os pombinhos e as névoas... ou conchinhas e espumas luzindo ao longo de praias imaculadas de luar...*

☆

Houve motivos que tornaram êsse poeta um perene deslumbrado da infância.

Em primeiro lugar — o verdor de sua vida. 21 anos, apenas, percorreu em seu caminho. "As Primaveras" — disse bem Pedro Luiz — foram escritas por um coração muito novo e ao fogo de uma imaginação incendiada.

Em segundo lugar o cenário radioso em que passou a meninice. A fazenda paterna numa dessas várzeas de paraiso que estendem, desde a serra acastelada até as praias radiosas, uma verde alcatifa constelada de flores... A paisagem concorreu para tornar inesquecível êsse tempo tão belo. E, em terceiro lugar, as duas ausências que lhe aumentaram a beleza. A ausência, no tempo, dessa aurora "que os anos não trazem mais"; a ausência no espaço, dêsse encanto, com o exílio do poeta, longe, do outro lado do mar...

☆

São singelos e rápidos os traços dêsse nublado alvorescer humano.

O sorriso da primeira luz, num dia 4 de janeiro, num retiro florido, em Barra de S. João. Corria o velho ano de 1839.

Os primeiros lampejos de imaginação e talento, quando a criança desenhava ou escrevia...

A formação da sensibilidade e do caráter entre as ternuras de uma doce mãe brasileira e a austeridade de um pai luso antigo, comerciante honrado e caturra.

Em seguida os primeiros estudos no Instituto Freese, em Friburgo, seguidos logo de um internamento pior: o ingresso do pobre poeta num escritório aquí no Rio A primeira revolta e as primeiras dores... logo mudadas em poemas, apesar de queixar-se o jovem por "não poder sair à noite e não poder escrever..." *Um pouco mais tarde, nos 16 anos, foi enviado a Portugal. Ei-lo, mais poeta e mais triste, com os olhos da alma perdidos "no Brasil, em sua mãe e em sua infância..."*

Lá, na velha Lisbôa, colheu o adolescente os primeiros aplausos, com a representação de "Camões e Jau".

Enfim, regressou ao Rio... mas para mourejar a serviço de Câmara Cabral & Costa, até à porta dos 20 anos. Como devia irritar-se o artista, oprimido em suas aspirações, contra a mediocridade que o cercava! Era no tempo em que dizia a Xavier de Novais :

Venha a sátira mordente,
Brilhe viva a tua veia
Já que a cidade está cheia
Desses eternos *Manéis* :
Os barões andam às dúzias
Como os frades nos conventos,
Comendadores — aos centos,
Viscondes — a pontapés.

Felizmente a "Virgem Loura" o alentava em suas ânsias. Foi ela quem o guiou à loja de Paula Brito, freqüentada pelos literatos do tempo. E nessa casa se editaram "As Primaveras"...

☆

Foi lógico o sucesso do volume, popular como nenhum, no país inteiro... Lógico por sua essência: o Brasil nascera pouco antes; e Casimiro era um intérprete da infância e — mais que isso — da infância brasileira. Exaltava a pureza bárbara da terra e da gente, em tôda a sua virgindade fragrante, em sua graça bravia, em seu esplendor primitivo, com a luz do céu americano.

E foi justo o sucesso. A criação revelava um grande Poeta. O humilde moço do comércio era um espírito visitado pela Graça. Seus conceitos e imagens, gastos hoje pelo uso imoderado dos plagiários e discípulos, eram então novos e ricos. E sua técnica — das mais fortes entre os nossos românticos. Uma rolada pura de flauta. Um tom próprio, humilde e manso, úmido de emoção e de ternura...

Em poemas, como essa graciosa "Valsa", a cadência dançante se casa a uma feliz modulação de inflexões. Nada da dureza ou da secura, tão comuns nos versos brancos do tempo. Usa em muitos cantos um decassílabo obrigado a duas tônicas, na quarta e sexta sílabas, de uma doce medida:

Se passa um bote com as velas sôltas,
Minh'alma o segue na amplidão dos mares;
E longas horas acompanha as voltas
Das andorinhas recortando os ares.

O tom melódico dos versos sobe ou desce com o valor das interrogações e das pausas :

. . . Não te recordas
— Debaixo do cajueiro,
Lá da lagoa nas bordas
Aquele beijo primeiro ?
Ia o dia já findando. . .
    — Quando ?

☆

Um crítico sagaz estudou magistralmente o poder de espiritualização que tem sôbre o cérebro o processo tuberculoso. Casimiro de Abreu foi um dêsses dolorosos e sublimes tísicos da arte. . .

A vitória, tão tristemente esperada, veiu; mas trazia com ela uma companheira de negro. . .

E para receber a visita sombria, partiu o poeta para Indaiassu, o doce pouso campestre onde a luz tanto sorria. . .

O pai morrera.

Ao pobre anjo materno, que tremia em soluços por êle, disse Casimiro um pouco inquieto :

— *"A morte é assim tão temivel ?*

A eternidade negra se estendia a seus olhos como, outrora, a

. . . "sala grande
onde temia penetrar no escuro". . .

Sua alma fez-se, com a lágrima final,

... "pura estrêla
Sumida como no horizonte a vela
Nas névoas da manhã".

Foi na tarde tristonha de 18 de Outubro, em 1860. A noite encheu o céu, como encheu, pouco após, mais um túmulo... Mas "As Primaveras" do poeta, florejadas de infância, raiaram pelo mundo, como uma grande alvorada. Uma alvorada puríssima, com sons de sinos, azul novo, gorgeios; e com anjos cantando.

ÍNDICE

As Primaveras

Páginas em prosa

1854 – 1857

I) CANÇÕES DO EXÍLIO

II) CAMÕES E JAU

(Cena dramática original levada à cena, pela primeira vez, no Teatro D. Fernando, na noite de 18 de Janeiro de 1856)

I) CANÇÕES DO EXÍLIO

Lisboa, 1854 in-8.º (segundo Sacramento Blake)

> Heureux ceux qui n'ont point vu la fumée des fêtes de l'étranger, et qui ne se sont assis qu'aux festins de leurs pères !
>
> *Chateaubriand.*

*
* *

EXÍLIO

Oh ! mon pays sera mes amours
Toujours.

Chateaubriand.

Eu nasci além dos mares :
Os meus lares,
Meus amôres ficam lá !
— Onde canta nos retiros
Seus suspiros,
Suspiros o sabiá !

Oh ! que céu, que terra aquela
Rica e bela
Como o céu de claro anil !
Que seiva, que luz, que galas,
Não exalas,
Não exalas, meu Brasil !

Oh ! que saudades tamanhas
Das montanhas,
Daqueles campos natais !

Daquele céu de safira
Que se mira,
Que se mira nos cristais!

Não amo a terra do exílio.
Sou bom filho,
Quero a pátria, o meu país.
Quero a terra das mangueiras
E as palmeiras,
E as palmeiras tão gentis!

Como a ave dos palmares
Pelos ares
Fugindo do caçador;
Eu vivo longe do ninho,
Sem carinho,
Sem carinho e sem amor!

Debalde eu olho e procuro...
Tudo escuro
Só vejo em roda de mim!
Falta a luz do lar paterno
Doce e terno,
Doce e terno para mim.

Distante do solo amado
— Desterrado —
A vida não é feliz.
Nessa eterna primavera
Quem me dera,
Quem me dera o meu país!

MINHA TERRA

Minha terra tem palmeiras
Onde canta o sabiá.

G. Dias

Todos cantam sua terra,
Também vou cantar a minha;
Nas débeis cordas da lira
Hei de fazê-la rainha.
— Hei de dar-lhe a realeza
Nêsse trono de beleza
Em que a mão da natureza
Esmerou-se em quanto tinha.

Correi pras bandas do sul;
Debaixo dum céu de anil
Encontrareis o gigante
Santa Cruz, hoje Brasil:
— E' uma terra de esplendores,
Alcatifada de flores,
Onde a brisa fala amôres
Nas belas tardes de abril.

Tem tantas belezas, tantas,
A minha terra natal,
Que nem as sonha um poeta
E nem as canta um mortal !
— E' uma terra encantada,
— Mimoso jardim de fada —
Do mundo todo invejada,
Que o mundo não tem igual,

Não, não tem, que Deus fadou-a
Dentre tôdas — a primeira:
Deu-lhe êsses campos bordados,
Deu-lhe os leques da palmeira,
E a borboleta que adeja
Sôbre as flores que ela beija,
Quando o vento rumoreja
Na folhagem da mangueira.

E' um país majestoso
Essa terra de Tupá,
Desde o Amazonas ao Prata,
Do Rio Grande ao Pará !
— Tem serranias gigantes
E tem bosques verdejantes,
Que repetem incessantes
Os cantos do sabiá.

Ao lado da cachoeira,
Que se despenha fremente,
Dos galhos da sapucaia
Nas horas do sol ardente,
Sôbre um solo d'açucenas,
Suspensa a rede de penas
Alí nas tardes amenas
Se embala o índio indolente.

Foi ali que noutro tempo
À sombra do cajazeiro
Soltava seus doces carmes
O Petrarca brasileiro;
E a bela que o escutava
Um sorriso deslisava
Para o bardo que pulsava
Seu alaúde fagueiro.

Quando Dirceu e Marília
Em ternííssimos enleios
Se beijavam com ternura
Em celestes devaneios
Da selva o vate inspirado,
O sabiá namorado,
Na laranjeira pousado
Soltava ternos gorgeios.

Foi ali, foi no Ipiranga,
Que com tôda a majestade
Rompeu de lábios augustos
O brado da liberdade;
Aquela voz soberana
Voou na plaga indiana
Desde o palácio à choupana,
Desde a floresta à cidade!

Um povo ergueu-se cantando
— Mancebos e anciãos —
E, filhos da mesma terra,
Alegres deram-se as mãos;
Foi belo ver êsse povo
Em suas glórias tão novo,
Bradando cheio de fogo:
— Portugal! somos irmãos!

Quando nasci, êsse brado
Já não soava na serra,
Nem os ecos da montanha
Ao longe diziam — guerra!
Mas não sei o que sentia
Quando, a sós, eu repetia
Cheio de nobre ousadia
O nome da minha terra!

Se brasileiro eu nasci,
Brasileiro hei de morrer,
Que um filho daquelas matas
Ama o céu que o viu nascer;
Chora, sim, porque tem prantos
E são sentidos e santos
Se chora pelos encantos
Que nunca mais há de ver.

Chora, sim, como suspiro
Por esses campos que eu amo,
Pelas mangueiras copadas
E o canto do gaturamo;
Pelo rio caudaloso,
Pelo prado tão relvoso,
E pelo tiê formoso
Da goiabeira no ramo!

Quis cantar a minha terra,
Mas não pode mais a lira;
Què outro filho das montanhas
O mesmo canto desfira,
Que o proscrito, o desterrado,
De ternos prantos banhado,
De saudades torturado,
Em vez de cantar — suspira!

Tem tantas belezas, tantas,
A minha terra natal,
Que nem as sonha um poeta
E nem as canta um mortal!
— E' uma terra de amôres
Alcatifada de flores,
Onde a brisa em seus rumores
Murmura: — não tem rival!

SAUDADES

Nas horas mortas da noite
Como é doce o meditar
Quando as estrêlas cintilam
Nas ondas quietas do mar;
Quando a lua majestosa
Surgindo linda e formosa,
Como donzela vaidosa
Nas águas se vai mirar!

Nessas horas de silêncio,
De tristezas e de amor,
Eu gosto de ouvir ao longe,
Cheio de mágua e de dor,
O sino do campanário,
Que fala tão solitário
Com êsse som mortuário,
Que nos enche de pavor.

Então — proscrito e sòzinho —
Eu solto aos ecos da serra
Suspiros dessa saudade
Que no meu peito se encerra.
Esses prantos de amargores
São prantos cheios de dores:
— Saudades — dos meus amôres,
— Saudades — da minha terra!

MEU LAR

Se eu tenho de morrer na flor dos anos,
Meu Deus, não seja já !
Eu quero ouvir na laranjeira, à tarde,
Cantar o sabiá !

Meu Deus, eu sinto e tu bem vês que eu morro
Respirando êste ar;
Faz que eu viva, Senhor! dá-me de novo
Os gozos do meu lar !

O país estrangeiro mais belezas
Do que a pátria não tem;
E êste mundo não vale um só dos beijos
Tão doces duma mãe !

Dá-me os sítios gentís onde eu brincava,
Lá na quadra infantil:
Dá que eu veja uma vez o céu da pátria,
O céu do meu Brasil !

Se eu tenho de morrer na flor dos anos,
Meu Deus, não seja já !
Eu quero ouvir na laranjeira, à tarde,
Cantar o sabiá !

Quero ver esse céu da minha terra
Tão lindo e tão azul !
E a nuvem cor de rosa que passava
Correndo lá do sul !

Quero dormir à sombra dos coqueiros,
As folhas por docel;
E ver se apanho a borboleta branca,
Que voa no vergel !

Quero sentar-me à beira do riacho
Das tardes ao cair,
E sozinho cismando no crepúsculo
Os sonhos do porvir !

Se eu tenho de morrer na flor dos anos,
Meu Deus, não seja já !
Eu quero ouvir na laranjeira, à tarde,
A voz do sabiá !

Quero morrer cercado dos perfumes
Dum clima tropical,
E sentir ,expirando, as harmonias
Do meu berço natal !

Minha campa será entre as mangueiras,
Banhada do luar,
E eu contente dormirei tranqüilo
À sombra do meu lar !

As cachoeiras chorarão sentidas
Porque cedo morri,
E eu sonho no sepulcro os meus amôres,
Na terra onde nasci !

Se eu tenho de morrer na flor dos anos,
Meu Deus, não seja já !
Eu quero ouvir na laranjeira, à tarde,
Cantar o sabiá !

MINHA MÃE

Oh! l'amour d'une mère! amour que nul n'oublie.

V. Hugo.

Da pátria formosa distante e saudoso,
Chorando e gemendo meus cantos de dor,
Eu guardo no peito a imagem querida
Do mais verdadeiro, do mais santo amor:
— Minha Mãe! —

Nas horas caladas das noites de estio
Sentado sozinho co'a face na mão,
Eu choro e soluço por quem me chamava
— "O' filho querido do meu coração!" —
— Minha Mãe! —

No berço, pendente dos ramos floridos,
Em que eu pequenino feliz dormitava:
Quem é que êsse berço com todo o cuidado
Cantando cantigas alegre embalava?
— Minha Mãe! —

De noite, alta noite, quando eu já dormia
Sonhando êsses sonhos dos anjos dos céus,
Quem é que meus lábios dormentes roçava,
Qual anjo da guarda, qual sôpro de Deus?
— Minha Mãe! —

Feliz o bom filho que pode contente
Na casa paterna de noite e de dia
Sentir as carícias do anjo de amôres,
Da estrêla brilhante que a vida nos guia!
— Minha Mãe! —

Por isso eu agora na terra do exílio,
Sentado sozinho co'a face na mão,
Suspiro e soluço por quem me chamava:
— "O' filho querido do meu coração!" —
— Minha Mãe! —

Nota — Êste poema foi adaptado à música, sendo cantado, como ensinamento moral, no colégio Abílio, fundado pelo inolvidável Abílio Cesar Borges, Barão de Macaúbas, mestre de uma geração notável, dentre a qual sobressai o nome de Rui.

ROSA MURCHA

Esta rosa desbotada
Já tantas vêzes beijada,
Pálido emblema de amor,
E' uma folha caida
Do livro da minha vida,
Um canto imenso de dor.

Há que tempos! Bem me lembro...
Foi num dia de novembro:
Deixava a terra natal,
A minha pátria tão cara,
O meu lindo Guanabara,
Em busca de Portugal.

Na hora da despedida
Tão cruel e tão sentida
Pra quem sai do lar fagueiro,
Duma lágrima orvalhada
Esta rosa foi-me dada
Ao som dum beijo primeiro.

Deixava a pátria, é verdade;
Ia morrer de saudade
Noutros climas, noutras plagas;
Mas tinha orações ferventes,
Duns lábios inda inocentes,
Enquanto cortasse as vagas.

E hoje, e hoje, meu Deus?!
— Hei de ir junto aos mausoléus,
No fundo dos cemitérios,
E ao baço clarão da lua,
Da campa na pedra nua
Interrogar os mistérios !

Carpir o lírio pendido
Pelo vento desabrido...
Da divindade aos arcanos
Dobrando a fronte saudosa,
Chorar a virgem formosa,
Morta na flor dos seus anos !

Era um anjo! Foi pro céu
Envolta em místico véu
Nas asas dum querubim;
Já dorme o sono profundo,
E despediu-se do mundo
Pensando talvez em mim !

Oh, esta flor desbotada,
Já tantas vêzes beijada,
Que de mistérios não tem !
Em troca de seu perfume
Quanta saudade resume
E quantos prantos também !

JURITÍ

Na minha terra, no bulir no mato,
A jurití suspira;
E como o arrulo dos gentis amôres,
São os meus cantos de secretas dores
No chorar da lira.

De tarde a pomba vem gemer sentida
À beira do caminho;
— Talvez perdida na floresta ingente —
A triste geme nessa voz plangente
Saudades do seu ninho.

Sou como a pomba, e cómo as vozes dela
E' triste o meu cantar;
— Flor dos trópicos — cá na Europa fria
Eu definho, chorando noite e dia
Saudades do meu lar.

A jurití suspira sôbre as fôlhas
Seu canto de saudade;
Hino de angústia, férvido lamento,
Um poema de amor e sentimento,
Um grito d'orfandade !

Depois... o caçador chega cantando,
À pomba faz o tiro...
A bala acerta e ela cai de bruços,
E a voz lhe morre nos gentís soluços,
No final suspiro.

E como o caçador, a morte em breve
Levar-me-á consigo;

E descuidado, no sorrir da vida,
Irei sòzinho, a voz desfalecida,
Dormir no meu jazigo.

E morta — a pomba nunca mais suspira
À beira do caminho;
E como a jurití, — longe dos lares —
Nunca mais chorarei nos meus cantares
Saudades do meu ninho!

MEUS OITO ANOS

Oh! souvenirs! printemps! aurores!

V. Hugo.

Oh! que saudades que tenho
Da aurora da minha vida,
Da minha infância querida
Que os anos não trazem mais!
Que amor, que sonhos, que flores,
Naquelas tardes fagueiras
À sombra das bananeiras,
Debaixo dos laranjais!

Como são belos os dias
Do despontar da existência!
— Respirá a alma inocência
Como perfumes a flor;
O mar é — lago sereno,
O céu — um manto azulado,
O mundo — um sonho dourado,
A vida — um hino d'amor!

Que auroras, que sol, que vida,
Que noites de melodia
Naquela doce alegria,
Naquele ingênuo folgar!
O céu bordado d'estrêlas,
A terra de aromas cheia,
As ondas beijando a areia
E a lua beijando o mar!

Oh! dias da minha infância!
Oh! meu céu de primavera!
Que doce a vida não era
Nessa risonha manhã.
Em vez das máguas de agora,
Eu tinha nessas delícias
De minha mãe as carícias
E beijos de minha irmã!

Livre filho das montanhas,
Eu ia bem satisfeito,
Da camisa aberto o peito,
— Pés descalços, braços nus —
Correndo pelas campinas
À roda das cachoeiras,
Atrás das asas ligeiras
Das borboletas azues!

Naqueles tempos ditosos
Ia colher as pitangas,
Trepava a tirar as mangas,
Brincava à beira do mar;
Rezava às Ave-Marias,
Achava o céu sempre lindo,
Adormecia sorrindo
E despertava a cantar!

Oh! que saudades que tenho
Da aurora da minha vida,
Da minha infância querida
Que os anos não trazem mais !
— Que amor, que sonhos, que flores,
Naquelas tardes fagueiras
À sombra das bananeiras,
Debaixo dos laranjais !

NO ALBUM DE J. C. M.

Nestas fôlhas perfumadas
Pelas rosas desfolhadas
Dêsses cantos de amizade,
Permite que venha agora
Quem longe da pátria chora
Bem triste gravar: — saudade !

ILUSÃO

Quando o astro do dia desmaia
Só brilhando com pálido lume,
E que a onda que brinca na praia
No murmúrio soletra um queixume;

Quando a brisa da tarde respira
O perfume das rosas do prado,
E que a fonte do vale suspira
Como o nauta da pátria afastado;

Quando o bronze da tôrre da aldeia
Seus gemidos aos ecos envia,

E que o peito que em máguas anseia
Bebe louco essa grave harmonia;

Quando a terra, da vida cansada,
Adormece num leito de flores
Qual donzela formosa embalada
Pelos cantos dos seus trovadores;

Eu de pé sôbre as rochas erguidas,
Sinto o pranto que manso deslisa
E repito essas queixas sentidas
Que murmuram as ondas co'a brisa.

E' então que a minha alma dormente
Duma vaga tristeza se inunda,
E que um rosto formoso, inocente,
Me desperta saudade profunda.

Julgo ver sôbre o mar sossegado
Um navio nas sombras fugindo,
E na popa esse rosto adorado
Entre prantos pra mim se sorrindo!

Compreendo êsse amargo sorriso,
Sôbre as ondas correr eu quisera...
E de pé sôbre a rocha, indeciso,
Eu lhe brado: — não fujas, — espera!

Mas o vento já leva ligeiro
Êsse sonho querido dum dia,
Essa virgem de rosto fagueiro,
Êsse rosto de tanta poesia!...

E depois... quando a lua ilumina
O horizonte com luz prateada,

Julgo ver essa fronte divina
Sôbre as vagas cismando, inclinada !

E depois... vejo uns olhos ardentes
Em delírio nos meus se fitando !
E uma voz em acentos plangentes
Vem de longe um — adeus — soluçando !

Ilusão !... que a minha alma, coitada,
De ilusões hoje em dia é que vive;
E' chorando uma glória passada,
E' carpindo uns amôres que eu tive !

SUSPIROS

À minha terra formosa,
Que eu amo do coração,
Quero enviar uns suspiros
Nas asas da viração.

Corre brisa, pressurosa
Sôbre êsses plainos de anil,
Vai brincar pelas campinas,
Pelos vergéis do Brasil.

Lá verás um céu mais lindo,
Como tão lindo não há;
Lá ouvirás os gorgeios,
Os cantos do sabiá.

Lá verás belas palmeiras,
Lindas flores com perfumes,
O regato que murmura,
A fonte que diz queixumes,

Lá verás a minha bela
Sentada no seu jardim.
Na mão encostada a face,
Saudosa, pensando em mim.

O' brisa linda e travessa,
No teu mais doce bafejo
Em seus lábios côr de rosa,
Bem de manso, dá-lhe um beijo.

Se uma lágrima furtiva
Nos olhos lhe balouçar...
Traz-me êsse pranto de amor,
Que quem chora, sabe amar.

Diz-lhe que o amante fiel
Só por ela suspirava,
E que nas brisas da tarde
Seus suspiros enviava.

Diz-lhe que o filho extremoso
O mesmo afeto inda tem,
E que contrito e fervente
Orava por sua mãe.

Diz-lhe que o pobre proscrito,
Da noite na majestade,
Chorava por sua terra
Longos prantos de saudade.

Diz-lhe que o triste poeta
Cantava cantos de dor,
Que sua lira, gemendo,
Dizia: — Brasil e amor ! —

II – Camões e Jau

PERSONAGENS:

Camões	Sr. Brás Martins
Antônio	Sr. Santos

Ação: Lisboa, 1578

PRÓLOGO

A 13 de Novembro de 1853, encostado pensativo ao mastro de ré do vapor "Olinda", transpunha a barra do Rio de Janeiro em demanda das costas de Portugal. Com que dor tinha os olhos fitos naquelas paisagens soberbas que pareciam apagar-se pela distância! Quando deixei de ver as vagas enroladas baterem nos rochedos; quando as montanhas que se desenhavam ao longe sumiram-se no horizonte, o pranto correu-me pelas faces, como nunca havia corrido. Eu chorava deveras como hoje suspiro saudoso, porque era a pátria que eu deixava; a terra onde nasci; porque lá ficaram meu pai e minha mãe, meus irmãos, tudo que de mais caro tinha no mundo!

Ai! é triste e solene êsse momento cruel. Vagando na amplidão dos mares, alongando saudoso a vista, os olhos só vêem o azul do céu confundir-se ao longe com o azul das vagas! Os joelhos trêmulos dobram-se; os lábios ardentes de desespêro murmuram: meu Deus! minha pátria! minha mãe! o pranto corre livre e o peito arqueja e cansa.

E tôdas as noites, quando pelo postigo do meu beliche via o firmamento salpicado de estrêlas, soltava um suspiro. Quando no outro dia contemplava o sol no ocaso, dourando com seus raios moribundos as nuvens acasteladas no poente, suspirava também! Quisera ver êsse mesmo céu estrelado nas lindas noites da minha terra, quando os raios da lua brincam com as flores do prado e adormecem nas águas quietas do rio. Quisera ver o astro do dia em vez de se mergulhar nas vagas, esconder-se por trás das colinas, refletindo seus pálidos e últimos fulgores na cúpula elevada do campanário da aldeia. Quisera ver tudo isso... e a pátria já estava tão longe!...

Depois mais alguns dias de balancear monótono sôbre as águas, e pisei terra estranha. Era êste Portugal velho e caduco que hoje dorme um sono longo à sombra dos louros que ganhou outrora; era êste Portugal que ainda repercute o tinir das armaduras e das espadas de seus guerreiros extintos; era êste Portugal que ainda repete as doces harmonias exaladas de tantas liras sonoras; era êste Portugal, pátria de meus avós, mas não minha pátria. Aquí fala-se a mesma língua que se fala no Brasil; aquí também há sol, há lua, há aves, há rios, há flores, há céu... mas o sol da minha terra é mais ardente, a lua mais suave, o canto das aves é mais terno, os rios são mais soberbos, as flores têem mais perfumes, o céu tem mais poesia.

Já dois anos se passaram longe da pátria. Dois anos? Diria dois séculos. E durante êste tempo tenho contado os dias e as horas pelas bagas do pranto que tenho chorado. Tenha embora Lisboa os seus mil e um atrativos, oh! eu quero a minha terra; quero respirar o ar natal, o ar embalsamado daquelas campinas ridentes; quero aspirar o perfume que exalam aqueles bosques floridos. Nada há que valha a terra natal. Tirai o índio do seu ninho e apresentai-o d'improviso em Paris: será por um momento fascinado diante dessas ruas, dessas praças, dêsses templos, dêsses mármores; mas depois falam-lhe ao coração as lembranças da pátria, e trocará, de bom grado, ruas, praças, templos, mármores, pelos campos da sua terra, pela sua choupana na encosta do monte, pelos murmúrios da floresta, pelo correr dos seus rios. Arrancai a planta dos climas tropicais e plantai-a na Europa: ela tentará reverdecer, mas dedo pende e murcha, porque lhe falta o ar natal, o ar que lhe dá vida e vigor. Como o índio, prefiro a Portugal e ao mundo inteiro o meu Brasil, rico, majestoso, poético, sublime. Como a planta dos trópicos, os climas da Europa enfezam-me a existência, que sinto fugir no meio dos tormentos da saudade.

Feliz aquêle que nunca se separou da pátria! Feliz aquêle que morre debaixo do mesmo céu que o viu nascer! Feliz aquêle que pode receber todos os dias a bênção e os afagos maternos! Mil vezes feliz, porque não sente esta dor que me arranca do peito as lágrimas ardentes que me escaldam as faces. Mas eu conservo ainda a esperança, êsse anjo lindo que nos sorri de longe. E quem deixará de ter esperanças? Só o desgraçado, que, crestada a fronte pelo hálito maldito das tempestades da vida, solta em um dia de desespêro a blasfêmia atroz: não creio em Deus!... Só esse.

Eu, não. Estou na idade das ilusões; arde-me no peito o fogo dos meus dezessete anos; creio em Deus do fundo da minha alma, como o justo crê na recompensa divina. Sim, um dia entre prantos e soluços abraçarei minha mãe; um dia... à sombra triste da funérea cruz descansarei na mesma terra que me viu nascer. Deus é justo. O dia em que devo sentir uma nova vida, chegará. Esperemos.

No dia 18 de Janeiro representou-se no teatro D. Fernando a cena dramática **Camões e o Jau**, primeira composição minha, ao menos a primeira que passou da pasta dos meus acanhados ensaios ao domínio da crítica. Ninguém é mais do que eu, cônscio dos inúmeros defeitos que tem. Bem se vê que essas notas são tiradas pelas mãos trêmulas dum novato, na mais humilde e desconhecida lira. No entanto foi recebida no meio dos bravos e aplausos.

Mas êsses aplausos e êsses bravos, compreendi-os bem. Não eram a coroa de louros que me lançaram, coroando o mérito da peça. Não. Eram as vozes dum povo amigo e hospitaleiro, que bradavam — "avante!" — ao jovem que na carreira das letras encetava o seu primeiro passo.

Obrigado, mil vezes obrigado. Dissestes: "avante!" Bem; eu tentarei prosseguir o trilho. Maldito o que espesinha sem piedade a flor que tenta desabrochar! Aos dois atores que a desempenharam tão bem, renovo os meus agradecimentos. São o sr. Brás Martins e o sr. Santos.

O sr. Brás Martins tem a sua reputação feita como escritor e como ator; não carece dos meus elogios. Só lhe podem negar o mérito literário e artístico, almas baixas movidas por paixões mesquinhas. Demais, digo-o aquí com franqueza, cabe-lhe dupla glória: foi êle quem me deu o pensamento da cena dramátca. O sr. Santos é um jovem de bastante mérito, para quem o futuro sorrí auspicioso. Um dia, nessa carreira de espinhos, há de ter a fronte coroada de flores.

Agora, ofereço esta minha produção a duas pessoas, ambas no Brasil. E' ao meu antigo lente e amigo o ilustríssimo sr. Cristóvão Vieira de Freitas, e ao meu amigo e colega Cristovão Correia de Castro, que segue o curso de direito na academia de S. Paulo.

Ao primeiro peço que, quando ler o **Camões e o Jau**, vá riscando e emendando com o lapis os muitos versos duros que lhe ferirem os ouvidos. As suas emendas são regras para mim

Ao segundo, que foi meu companheiro de estudos durante quatro anos no Instituto Freese, rogo de me recomendar a todos os colegas dêsse tempo tão feliz. Quando nos separamos em Nova Friburgo, de certo não foi para sempre. Ainda um dia hei de ouvir o canto melodioso e terno do sabiá; ainda um dia nos veremos.

Lisboa, 7 de Março, 1856.

Casimiro de Abreu

* * *

(CENA ÚNICA)

A cena representa uma casa pobre; ao fundo uma porta, do lado direito uma janela e um braseiro — em distância, do lado esquerdo, uma cama ordinária e uma cadeira; junto ao braseiro uma banca pejada de manuscritos.

São dez horas da manhã.

Ao levantar do pano, ouve-se o ribombar longínquo do canhão. O poeta, deitado, recolhe atento aquêles sons, que pouco a pouco se esvaecem; depois, assenta-se.

CAMÕES E DEPOIS ANTONIO

CAMÕES

Que sons são êstes que do Tejo a brisa
Trazer me vem no sussurrar macio?
Julguei ouvir o rufo dos tambores,
Ou o estridor pelo eco repetido
De brônzeas bôcas a rugir nas vagas.
(*Erguendo-se*)
Ribombo do canhão! sinal de glória
Pras sempre fortes vencedoras Quinas
Impávidas hasteadas nas muralhas
Das fortalezas índicas vaidosas,
E tremulando na soidão dos mares,
Que ao jugo lusitano a cerviz curvam!

Trombeta do combate; quando soas,
Bater tu fazes com dobrada fôrça,
Com fogo etéreo coração ardente
Que em peito português livre palpita.

(Com entusiasmo)

Meu Portugal tão belo e tão valente!
Torrão formoso, terra de magia,
Ricos sonhos do poeta, meus amôres!
Sim, meus amôres, porque os que tive outrora...
Cala-te coração... já não existem!

(Caminhando com custo para a janela)

De primavera, que formoso dia!
Que azul de céu tão puro e tão sereno!
Como corre o meu Tejo sossegado!
Meu pátrio Tejo, que cantei saudoso
No exílio amargo tantos anos... tantos!

(Comovido)

Oh quantas vêzes de Macau na gruta
Por ti, por Portugal eu soluçava!

(Retirando-se da janela)

Para que me hei de recordar do exílio?

(Assentando-se na cadeira)

Passado é já. Vejamos o futuro.

(Curva a fronte)

ANTÔNIO

(Entrando e aproximando-se de manso — à parte)
Como está pensativo! sempre triste!

CAMÕES

Quem entra do mendigo na choupana?

(Reparando)

E' Jau, meu pobre, meu sincero amigo.

ANTÔNIO

(À parte)

Chamar-me amigo! a mim, ao próprio escravo!
Escravo... que os grilhões contente beija!

CAMÕES

Antônio, para mim não trazes nada?

ANTÔNIO

Fui buscar pão... nem um ceitil me deram!

CAMÕES

Resignação e fé, que Deus é justo.

ANTÔNIO

Resignação, dizeis! Mas ah! que tendes?
Tão pálido vos vejo e tão mudado!
Depois que vos deixei sofrestes muito?

CAMÕES

Meu amigo, sossega, nada tenho.

ANTÔNIO

(À parte)

E tornou-me a chamar o seu amigo!
Igual afeto, quem pagá-lo pode?

CAMÕES

Dizes que tenho a palidez no rosto?
Não repares; a côr fugiu há muito.
Eu sofro, sim, mas quase que o não sinto.
E' a vida a soltar o arranco extremo,
Já prestes a findar, como no templo
À míngua d'óleo, ao despontar da aurora,
A lâmpada que ardeu durante a noite
Pálida brilha, bruxoleia... e morre!

ANTÔNIO

Por Deus vos peço, não faleis em morte.

CAMÕES

Se eu a sinto chegar a passos largos!
Muito não tardará que o corpo inerte
Vá sob a terra descansar pra sempre.
Uma existência cheia de desgostos,
As mais douradas ilusões desfeitas,
Findos os sonhos, a esperança extinta...
Oh! de que vale o prolongar-se a vida?
Sim, brevemente cerrarei os olhos,
Morrerei pobre, velho, desprezado...
Com um amigo só, que és tu, Antônio.

ANTÔNIO

(Caindo-lhe aos pés)

Oh, meu senhor!

CAMÕES

Terei um peito ao menos
Onde então possa reclinar a fronte,
Uma lágrima derramar saudosa,
E dizer expirando o nome dela!

(Erguendo com doçura a cabeça do Jau)
Antônio, diz-me cá; tu nunca amaste?

ANTÔNIO

(*Erguendo-se*)

Se tenho um coração!... Eu amo muito
A terra onde nasci, a minha Java:
A meus pais eu amei como bom filho
E a vós, ó meu senhor, hei de amar sempre.

CAMÕES

Na tua vida uma mulher não houve
Que igual afeto te inspirasse ainda?
Por quem sentisses atração imensa?
Em que louco pensasses, sempre, sempre,
Mesmo dormindo, em sonhos bem fagueiros?
Uma mulher, enfim, por quem no peito
Forte paixão te ardesse ou um desejo?
Uma mulher, um anjo, cujo nome
O tivesses nos lábios e na mente;
Escrito o visses na corrente branda
Que sobre seixos se desliza quieta,
Num céu de anil, na flor do prado, em tudo?
Que to dissesse a brisa perfumada
Lasciva perpassando pelas flores,
O murmurar da fonte cristalina,
No firmamento o cintilar dos lumes,

Que o mundo inteiro te falasse dela?
Um anjo, a quem no delirar ardente
Aos pés prostrado — amor! — dissesses terno?

ANTÔNIO

Sim, sim; uma mulher eu amei muito.
Era tão bela! A mesma côr que tenho,
Ela tinha também; era de Java.
A infância ambos passamos sempre juntos
Brincando alegres pelos campos lindos.
Passaram-se os folguedos, e sozinhos
À fresca sombra dos gentís palmares
Que enfeitam a minha ilha tão formosa,
Mil falas de ternura lhe falava,
Mil esp'ranças risonhas eu nutria.
Era muito feliz o pobre escravo!
Depois. . .tão moça ainda ela finou-se!
O que eu chorei! E a dor pungente e amarga
Até à morte sentirei nesta alma
Que outro amor como aquêle tão sincero. . .
Senhor, o pobre Jau não terá nunca.

CAMÕES

Pois escuta: eu amava com excesso
Na terra uma mulher muito formosa
Que a sorte cega colocou mui alta.
Mas o pobre Camões não tinha um nome,
Não podia of'recer-lhe a mão de espôso!
Ai, loucos! porventura um sentimento
Quereis moldá-lo a conveniências fúteis?
Quem é que ao coração jamais deu regras?
Sem demora parti, buscando a glória.
Longos anos vaguei saudoso e errante,

Ora embalado pelas bravas ondas
Do oceano em fúria grande, ouvindo os uivos
Da procela a bramir forte e medonha;
Ora chorando os prantos do proscrito
Nos ermos montes de longínquas plagas.
Que saudades que eu tinha desta terra,
Destas veigas risonhas, destas fontes,
Destas flores mimosas, destes ares!
Nunca naquelas regiões tristonhas
O riso do prazer me veiu aos lábios.
Em vão eu quis beber uma harmonia,
Uma inspiração celeste, radiante!
Lá não trinava o rouxinol gorgeios
Na balseira virente em noite bela,
Quando a lua prateada se retrata
Sobre as águas do lago sossegado;
Lá não ouvia a gemebunda rôla
Gemer saudosa... que entristece tanto!
Lá não sentia a vespertina aragem
Vir bem de manso bafejar-me a lira,
Que nunca mais soltara hino festivo!
Tudo ali respirava só tristeza!
E' durante êsses anos tão compridos,
Êsses anos de ausência e de tormentos,
A imagem de Natércia eu via sempre.
Uma vez que tranquilo adormecera,
De súbito me erguí todo convulso...
Sonho horrível me havia despertado.
Sonhei-a fria, já sem vida... morta!
Aquêle corpo airoso, inanimado!
Aquêles lindos olhos já sem brilho!
Os lábios purpurinos já cerrados,
Que no entr'abrir final balbuciaram
Camões! Camões! ainda com ternura!
Vacilante os cabelos apartava

Com a trêmula mão da fronte em gelo...
Visão não era; realidade pura!
Era morta a mulher que eu tanto amava,
Morta... na flor da vida!... ela era um anjo!
Desde esse dia então morrí pro mundo.
As lágrimas de dor verti-as tôdas.
Depois... não chorei mais, sofria mudo,
De rôjo junto à cruz, contrito orava.
Orava toda a noite só por ela.
A Deus pedia o têrmo de meus dias,
Que entre os anjos no céu vê-la queria,
Já que na terra os homens, sem piedade,
Me haviam dela separado sempre.
Mas o Eterno não quis. Curvei a fronte.
Quereis que esgote o calix da amargura?
Submisso e pronto está o servo humilde.

(Apontando para a banca)

Olha, Antônio, dá-me aquêles versos.

(Recebendo-os)

Sim, são êstes que falam de Natércia
Com todo o fogo dum amor eterno.
Eis o sinal das lágrimas caídas
Sôbre o papel quando tracei as linhas.
Lágrimas quentes, lágrimas de sangue
Arrancadas por uma dor imensa.

(Beijando-os)

Oh! quero lê-los, lê-los novamente.
Foi êste canto lutuoso e triste
Ultimo harpejo que soltei gemendo.
Ai! quando dêsse dia me recordo,
Involuntário o pranto se desprende.
E' uma corda que se vai da lira,
Mais uma fibra que do peito estala,
Mais um gemido que rebenta d'alma,

— Derradeiro estertor do agonizante —
Um gemido que diz: além a — campa!
(Assenta-se e lê)
"Alma minha gentil que te partiste
Tão cedo deste mundo descontente;
Repousa lá no céu eternamente,
E viva eu cá na terra sempre triste."

ANTÔNIO

(À parte)
Ali naquele leito tão mesquinho
Repousa o maior vate deste mundo!
Pro sepulcro inclinada a fronte nobre
Quase a sumir-se como o sol no ocaso,
Um ai não solta, nem um só que seja!
Calado sofre, sofre, e não murmura!
Só eu é que conheço o que padece:
Com fome há tantas horas, e não tenho
Em casa nada que lhe dê agora!
Se pudesse passar sem mim ao lado...
Se pudesse! inda sou rapaz, sou forte,
De noite e dia trabalhava sempre
E do trabalho o lucro era p'ra êle,
Era só pra Camões. Mas eu não posso,
Não posso abandoná-lo um só momento.
Tão fraco; até lhe custa a dar um passo!
Eu vou de porta em porta, a mão estendo,
Peço pão, não pra mim, mas pro poeta...
E só parece que a rochedos falo,
Ninguem atende à súplica do pobre!
De dor eu choro quando peço esmola
E vejo que ma negam tão sem alma.
Filhos de Portugal, ó portuguêses!
Viveis entregues aos festins malditos

Sem vos lembrar que na miséria triste
Enfermo geme, moribundo quase,
Um português também, um vate ilustre?
Ah! sois malvados corações de pedra!
Sim, sois malvados! O perdão do poeta,
De certo o tendes, porque é bom, perdoa;
Mas dos sec'los futuros, com justiça,
Anátema tereis e fulminante,
Da infâmia o ferrete desprezível,
E a voz de Deus vos bradará severa:
"Assassinos, assassinaste o vate!"

(Ouvem-se salvas repetidas, ao longe)

CAMÕES

Antônio?

ANTÔNIO

Senhor!

CAMÕES

Saberás dizer-m
Por que em sinal festivo o canhão troa?

ANTÔNIO

E' a saudação banal das fortalezas
Ao rei, à esquadra, que transpõem a barra,
E que entregues aos ventos inconstantes
Destemidos se vão plantar ousados
O estandarte da cruz em terras d'África.

CAMÕES

(Erguendo-se, agitado)
Sim, eles vão... mas é buscar a morte.
Quem antevera que dum povo a ruina

Pelo seu próprio rei cavada fôsse?
Oh campas nobres, já no pó envoltas,
De Nuno, d'Albuquerque e de Pacheco:
Descerrai-vos, surgí Que êsses gigantes,
Patriotas bravos, semi-deuses lusos,
Erguendo-se do sono eterno um pouco,
Depressa venham sustentar a pátria
Que ameaça cair, cair pra sempre.

(Caminhando para a janela e falando para fora)

Dom Sebastião, monarca temerário,
Parai! parai! que não ireis, mancebo,
Sepultar nas areias africanas,
De tantos sec'los, num só dia a obra.
Se não ouvís meu brado, por ser fraco,
Oh! escutai, senhor, o pranto amargo
Do pai, da mãe, da espôsa e do filhinho
Que vos pedem o filho, o pai, o espôso,
Que sem dó arrancais dos lares pátrios
Pra sepulcro lhes dar em terra estranha.
Mas ah! sois surdo; vossas naus já partem,
O Tejo deixam... no horizonte somem-se...

(Retirando-se da janela e como que subitamente inspirado)

Que luz celeste me esclarece agora?
Que sombras estas que vagueiam tristes,
Que se deslizam silenciosas, quietas,
Fantasmas negros na mudez da noite?!...
Que campo é êsse que se alaga em sangue,
Teatro horrível onde impera a morte?!...
Oh d'Alcácer-Quivir plaga maldita,
Que presenceias num só dia a queda
Da nação entre tôdas a mais nobre!
Ah! vergonha pras armas portuguêsas!
No calor da peleja que se trava,
Parte-se a folha da ligeira espada

E o alfange, como anjo de extermínio,
Prostra exangues, sem dó, êsses valentes
Que em cem batalhas não tremeram nunca!
Os soldados de Cristo já recuam
Pelas imigas hostes esmagados,
O régio elmo pelo campo rola...
Calcada está de Portugal a c'rôa,
Nosso pendão caiu... quebra-se o cetro...
E dom Sebastião ousado e jovem
Ei-lo que tomba do ginete altivo
Com vida ainda, pra não mais erguer-se!
Êle, nobre dos nobres lusitanos,
Ao lado do peão lá geme, expira!
— A morte nivelou o trono e a choça!
Mas que ouço?! Estes cânticos selvagens...
Êste alarido e gritos de vitória...
De triunfo infeliz os solta um povo!
As mauras meias-luas já tremulam
Dos cristãos sôbre as tendas tão vaidosas;
Lá ressoa o clarim cantando um hino
Que contentes os ecos o repetem
Pelo negror das trevas que caminham
A cobrir com o sudário da vergonha
A púrpura real, dum rei o corpo!
Ouve-se ainda um brado... extinto é tudo!
A glória e o nome português morreram!
E êste tinir de ferros?! São algemas,
São grilhões que nos vem lançar Castela!!
Termos de suportar estranho jugo...
Sofrer da escravidão a morte lenta...
Um nobre português responde — nunca!

ANTÔNIO

(À parte)
A febre do delírio que o devora!

CAMÕES

Eu à pátria sobreviver! Não quero.
Quem dêste Portugal cantou as glórias
Não pode a Portugal na mesma lira
Desferir canto fúnebre saudoso.
Se a pátria é morta, hei-de morrer com ela.
Hei-de sim, hei-de sim, porque nesta alma
Era o afeto maior que ora existia.
Oh! que a mesma mortalha nos envolva;
E o canto d'alma apaixonado e terno,
Em que humilde exaltei a fama tua,
Que as chamas o consumam; que hoje mesmo,
De Luis de Camões não tenha o mundo
Nem sequer uma prova de seus dias...
Bem poucos de prazer, de dor bastantes!
Queimem-se todos, queimem-se êsses versos,
Desta alma parte, que escreví mil vêzes
Com pranto amargo deslizado em bagas.
Eia, coragem!

(Lança ao fogo alguns manuscritos e vai buscar Os Lusiadas)

ANTÔNIO

Os Lusíadas, nunca!
Por quem sois, suspendei! sou eu que o peço:
Que não se queima assim num só momento
Dum poeta imortal a rica c'rôa,
E o mais nobre brasão dum povo inteiro.
Oh! vou salvá-los.

(Corre para Camões)

CAMÕES

(Lançando-os às chamas)

Jau, nem mais um passo.

ANTÔNIO

(Tirando-os)

Ei-lo, o laurel dum vate!

CAMÕES

Que fizeste?!...

ANTÔNIO

(Erguendo o poema)

Se é verdade que tua pátria é morta,
Êste poema lembrará ao mundo
Que houve outrora um Portugal gigante
E — Camões — fôra seu cantor sublime.

1857-1858

I – Brasilianas

II – Cânticos

* * *

NO LAR

Terra da minha pátria, abre-me o seio
Na morte, ao menos...

Garrett.

I

Longe da pátria, sob um céu diverso,
Onde o sol como aqui tanto não arde,
Chorei saudades do meu lar querido
— Ave sem ninho que suspira à tarde!

No mar — de noite — solitário e triste
Fitando os lumes que no céu tremiam,
Ávido e louco nos meus sonhos d'alma
Folguei nos campos que meus olhos viam.

Era pátria e família e vida e tudo,
Glórias, amôres, mocidade e crença,
E, todo em choros, vim beijar as praias
Por que chorara nessa longa ausência.

Eis-me na pátria, no país das flores,
—O filho pródigo, a seus lares volve,
E consertando as suas vestes rôtas,
O seu passado com prazer revolve!

Eis meu lar, minha casa, meus amôres,
A terra onde nascí, meu teto amigo,
A gruta, a sombra, a solidão, o rio
Onde o amor me nasceu — cresceu comigo.

Os mesmos campos que eu deixei criança,
Árvores novas... tanta flor no prado!...
Oh! como és linda, minha terra d'alma,
— Noiva enfeitada para o seu noivado!

Foi aquí, foi alí, além... mais longe,
Que eu sentei-me a chorar no fim do dia;
— Lá vejo o atalho que vai dar na várzea...
Lá o barranco por onde eu subia!...

Acho agora mais sêca a cachoeira
Onde banhei-me no infantil cansaço...
— Como está velho o laranjal tamanho
Onde eu caçava o sanhaçú a laço!...

Como eu me lembro dos meus dias puros!
Nada me esquece!... e esquecer quem há-de?...
— Cada pedra que eu palpo, ou tronco, ou folha,
Fala-me ainda dessa doce idade!

Eu me remoço, recordando a infância,
E tanto a vida me palpita agora,
Que eu dera, oh! Deus! a mocidade inteira
Por um só dia do viver d'outrora!

E a casa?... as salas, êstes móveis... tudo,
O crucifixo pendurado ao muro...
O quarto do oratório... a sala grande
Onde eu temia penetrar no escuro!...

E alí... naquele canto... o berço armado!
E minha mana, tão gentil, dormindo!
E mamãe a contar-me histórias lindas
Quando eu chorava e a beijava rindo!

Oh primavera! oh minha mãe querida!
Oh mana! — anjinho que eu amei com ânsia
Vinde ver-me, em soluços — de joelhos,
Beijando em choros êste pó da infância!

II.

Meu Deus! eu chorei tanto no exílio!
Tanta dor me cortou a voz sentida,
Que agora neste gôzo de proscrito
Chora minh'alma e me sucumbe a vida!

Quero amor! quero vida! e longa e bela,
Que eu, Senhor! não viví — dormí apenas!
Minh'alma que s'expande e se entumece
Despe o seu luto nas canções amenas.

Que sêde que eu sentia nessas noites!
Quanto beijo roçou-me os lábios quentes!
E, pálido, acordava no meu leito
—Sozinho — e órfão das visões ardentes!

Quero amor! quero vida! aqui, na sombra,
No silêncio e na voz desta natura;
— Da primavera de minh'alma os cantos
Caso co'as flores da estação mais pura.

Quero amor! Quero vida! Os lábios ardem...
Preciso as dores dum sentir profundo!
— Sôfrego a taça esgotarei dum trago
Embora a morte vá topar no fundo.

Quero amor! Quero vida! — Um rôsto virgem,
— Alma de arcanjo que me fale amôres,
Que ria e chore, que suspire e gema
E doure a vida sôbre um chão de flores.

Quero amor! Quero amor! — Uns dedos brancos
Que passem a brincar nos meus cabelos;
Rosto lindo da fada vaporosa,
Que dê-me vida e que me mate em zelos!

Oh céu de minha terra — azul — sem mancha —
Oh sol de fogo que me queima a fronte,
Nuvens douradas que correis no ocaso,
Névoas da tarde, que cobris o monte;

Perfumes da floresta, vozes doces,
Mansa lagoa que o luar prateia,
Claros riachos, cachoeiras altas,
Ondas tranqüilas que morreis na areia:

Aves dos bosques, brisas das montanhas,
Bentevís do campo, sabiás da praia,
— Cantai, correi, brilhai — minh'alma em ânsias
Treme de gôzo e de prazer desmaia!

Flores, perfumes, solidões, gorgeios,
Amor, ternura — modulai-me a lira!
— Seja um poema êste ferver de idéias,
Que a mente cala e o coração suspira.

Oh mocidade, bem te sinto e vejo!
De amor e vida-me transborda o peito...
— Basta-me um ano!... e depois... na sombra...
Onde era o berço quero ter meu leito!

Eu canto, eu choro, eu rio, e grato e louco
Nos pobres hinos te bendigo, oh! Deus!
Deste-me os gozos do meu lar querido...
Bendito sejas! — vou viver c'os meus!

MORENINHA

Moreninha, Moreninha,
Tu és do campo a rainha,
Tu és senhora de mim;
Tu matas todos d'amôres,
Faceira, vendendo as flores
Que colhes no teu jardim.

Quando tu passas n'aldeia
Diz o povo à bôca cheia:
— "Mulher mais linda não há!
"Ai vejam como é bonita
"Co'as tranças prêsas na fita,
"Co'as flores no samburá!" —

Tu és meiga, és inocente
Como a rôla que contente
Voa e folga no rosal;
Envolta nas simples galas,
Na voz, no riso, nas falas,
Morena — não tens rival!

Tu, ontem, vinhas do monte
E paraste ao pé da fonte
A' fresca sombra do til;
Regando as flores, sozinha,
Nem tu sabes, Moreninha,
O quanto achei-te gentil!

Depois segui-te calado
Como o pássaro esfaimado
Vai seguindo a jurití;
Mas tão pura ias brincando,
Pelas pedrinhas saltando,
Que eu tive pena de ti!

E disse então: — Moreninha,
Se um dia tu fores minha,
Que amor, que amor não terás!
Eu dou-te noites de rosas
Cantando canções formosas
Ao som dos meus ternos ais.

Morena, minha sereia,
Tu és a rosa da aldeia,
Mulher mais linda não há;
Ninguem t'iguala ou t'imita
Co'as tranças prêsas na fita,
Co'as flôres no samburá!

Tu és a deusa da praça,
E todo o homem que passa
Apenas viu-te... parou!
Segue depois seu caminho
Mas vai calado e sozinho,
Porque sua alma ficou!

Tu és bela, Moreninha,
Sentada em tua banquinha
Cercada de todos nós;
Rufando alegre o pandeiro,
Como a ave do espinheiro
Tu soltas também a voz:

— "Oh quem me compra estas flores?
"São lindas como os amôres,
"Tão belas não há assim;
"Foram banhadas de orvalho,
"São flores do meu serralho,
"Colhi-as no meu jardim."

Morena, minha Morena,
És bela, mas não tens pena
De quem morre de paixão!
— Tu vendes flores singelas
E guardas as flores belas,
As rosas do coração?!...

Moreninha, Moreninha,
Tu és das belas rainha,
Mas nos amôres és má;
— Como tu ficas bonita
Co'as tranças prêsas na fita,
Co'as flores no samburá!

Eu disse então: — "Meus amôres,
"Deixa mirar tuas flores,
"Deixa perfumes sentir!"
Mas naquele doce enleio,
Em vez das flores, no seio,
No seio te fui bulir!

Como nuvem desmaiada,
Se tinge de madrugada
Ao doce albor da manhã;
Assim ficaste, querida,
A face em pejo acendida
Vermelha como a romã!

Tu fugiste, feiticeira,
E de certo mais ligeira
Qualquer gazela não é;
Tua ias de saia curta...
Saltando a moita de murta
Mostraste, mostraste o pé!

Ai! Morena, ai! meus amôres,
Eu quero comprar-te as flores,
Mas dá-me um beijo também;
Que importam rosas do prado
Sem o sorriso engraçado
Que a tua boquinha tem?

Apenas vi-te, sereia,
Chamei-te — 'rosa da aldeia
Como mais linda não há.
Jesús! como eras bonita
Co'as tranças prêsas na fita,
Co'as flores no samburá!

NA REDE

Nas horas ardentes do pino do dia
Aos bosques corrí;
E qual linda imagem dos castos amôres,
Dormindo e sonhando cercada de flores
Nos bosques a vi!

Dormia deitada na rede de penas
— O céu por docel,
De leve embalada no quieto balanço
Qual nauta cismando num lago bem manso
Num leve batel!

Dormia e sonhava — no rosto serena
Qual um serafim;
Os cílios pendidos nos olhos tão belos,
E a brisa brincando nos soltos cabelos
De fino setim!

Dormia e sonhava — formosa embebida
No doce sonhar,
E doce e sereno num mágico anseio
Debaixo das roupas batia-lhe o seio
No seu palpitar!

Dormia e sonhava — a bôca entreaberta,
O lábio a sorrir;
No peito cruzados os braços dormentes,
Compridos e lisos quais brancas serpentes
No colo a dormir!

Dormia e sonhava — no sonho de amôres
Chamava por mim,
E a voz suspirosa nos lábios morria
Tão terna e tão meiga qual vaga harmonia
De algum bandolim!

Dormia e sonhava — de manso cheguei-me
Sem leve rumor;
Pendí-me tremendo-e qual fraco vagido,
Qual sôpro da brisa, baixinho ao ouvido
Falei-lhe de amor!

Ao hálito ardente o peito palpita...
Mas sem despertar;
E como nas ânsias dum sonho que é lindo,
A virgem na rede corando e sorrindo...
Beijou-me — a sonhar!

A VOZ DO RIO

NUM ALBUM

Nosso sol é de fogo, o campo é verde,
O mar é manso, nosso céu azul!
— Ai, porque deixas êste pátrio ninho
Pelas friezas dos vergéis do sul?

Lá nessa terra onde o Guaíba chora
Não são as noites, como aquí, formosas,
Com as duas asas o pampeiro iroso
Quebra as tulipas e desfolha as rosas.

A lua é doce, nosso mar tranqüilo,
Mais leve a brisa, nosso céu azul!...
— Tupá! quem troca pelo pátrio ninho
As ventanias dos vergéis do sul!?

Lá novos campos outros campos ligam
E a vista fraca na extensão se perde!
E tu sozinho viverás no exílio
— Garça perdida nesse mar que é verde!

Nossas campinas, como doces noivas
Vivem c'os montes sob o céu azul!
— Há vida e amôres neste pátrio ninho,
Mais rico e belo que os vergéis do sul!

Essas palmeiras não têm tantos leques,
O sol das pampas mareou seu brilho,
Nem cresce o tronco que susteve um dia
O berço lindo em que dormiu teu filho!

Nossas florestas sacudindo os galhos
Tocam c'os braços este céu azul!
— Se tudo é grande neste pátrio ninho
Porque deixá-lo pra viver no sul?!

Embora digas: — "Essa terra fria
Merece amôres, é irmã da minha!"
Quem dar-te pode êste calor do ninho,
A luz suave que o teu berço tinha?

Eu — Guanabara — no meu longo espêlho
Reflito as nuvens deste céu azul;
— Oh minha filha! acalentei-te o sono,
Porque me deixas pra viver no sul?!...

Lá, quando a terra s'embuçar nas sombras,
E o sol medroso s'esconder nas águas,
Teu pensamento, como o sol que morre,
Há-de cismando mergulhar-se em máguas!

Mas se forçoso te é deixar a pátria
Pelas friezas dos vergéis do sul,
Oh minha filha! não t'esqueças nunca
Destas montanhas, deste céu azul.

Tupá bondoso te derrame graças,
Doce ventura te bafeje e siga,
E nos meus braços — ao voltar do exílio
Saudando o berço que teu lábio diga:

"Volvo contente para o pátrio ninho,
"Deixei sorrindo êsses vergéis do sul;
"Tinha saudades dêste sol de fogo...
"Não deixo mais êste meu céu azul!..."

SETE DE SETEMBRO

A D PEDRO II

Foi um dia de glória! — O povo altivo
Trocou sorrindo as vozes de cativo
Pelo cantar das festas!
O leão indomável do deserto
Bramiu soberbo, dos grilhões liberto,
No meio das florestas!

Lá no Ipiranga do Brasil o Marte
Enrolado nas dobras do estandarte
Erguia o augusto porte;
Cercada a fronte dos lauréis da glória
Soltou tremendo o brado da vitória!
Independência ou morte!

O santo amor dos corações ardentes
Achou eco no peito dos valentes,
No campo e na cidade;
E nos salões — do pescador nos lares,
Livres soaram hinos populares
À voz da liberdade!

Anos correram; — no torrão fecundo
Ao sol de fogo dêste novo-mundo
A semente brotou;
E, franca e leda, a geração nascente
À copa altiva da árvore frondente
Segura se abrigou!

À roda da bandeira sacrossanta
Um povo esperançoso se levanta
Infante e a sorrir!

A nação do letargo se desperta,
E — livre — marcha pela estrada aberta
Às glórias do porvir!

O país, na alegria todo imerso,
Velava atento à roda só dum berço...
Era o vosso, Senhor!
Vós do tronco feliz doce renovo,
Vêde agora, Senhor, na voz do povo
Quão grande é seu amor!

POESIA E AMOR

A tarde que expira,
A flor que suspira,
O canto da lira,
Da lua o clarão;
Dos mares na raia
A luz que desmaia,
E as ondas na praia
Lambendo-lhe o chão;

Da noite a harmonia
Melhor que a do dia,
E a viva ardentia
Das águas do mar;
A virgem incauta,
As vozes da flauta,
E o canto do nauta
Chorando o seu lar;

Os trêmulos lumes,
Da fonte os queixumes,
E os meigos perfumes
Que solta o vergel;
As noites brilhantes,
E os doces instantes
Dos noivos amantes
Na lua de mel;

Do templo nas naves
As notas suaves,
E o trino das aves
Saudando o arrebol;
As tardes estivas
E as rosas lascivas
Erguendo-se altivas
Aos raios do sol;

A gota de orvalho
Tremendo no galho
Do velho carvalho,
Nas folhas do ingá;
O bater do seio,
Dos bosques no meio
O doce gorgeio
Dalgum sabiá;

A órfã que chora,
A flor que se cora
Aos raios da aurora,
No albor da manhã;
Os sonhos eternos,
Os gozos mais ternos,
Os beijos maternos
E as vozes de irmã;

O sino da tôrre
Carpindo quem morre,
E o rio que corre
Banhando o chorão;
O triste que vela
Cantando à donzela
A trova singela
Do seu coração;

A luz da alvorada,
E a nuvem dourada,
Qual berço de fada
Num céu todo azul;
No lago e nos brejos
Os férvidos beijos
E os loucos bafejos
Das brisas do sul;

Tôda essa ternura
Que a rica natura
Soletra e murmura
Nos hálitos seus,
Da terra os encantos,
Das noites os prantos,
São hinos, são cantos
Que sobem a Deus!

Os trêmulos lumes,
Da veiga os perfumes,
Da fonte os queixumes,
Dos prados a flor,
Do mar a ardentia,
Da noite a harmonia,
Tudo isso é — poesia!
Tudo isso é — amor!

ORAÇÕES

A . . .

A alma, como incenso, ao céu s'eleva
Da férvida oração nas asas puras,
E Deus recebe como um longo hosana
O cântico de amor das criaturas.

Do trono d'ouro, que circundam anjos,
Sorrindo ao mundo a Virgem-Mãe s'inclina,
Ouvindo as vozes d'inocência bela
Dos lábios virginais duma menina.

Da tarde morta o murmurar se cala
Ante a prece infantil, que sobe e voa
Fresca e serena qual perfume doce
Das frescas rosas de gentil coroa.

As doces falas de tua alma santa
Valem mais do que eu valho, oh querubim!
Quando rezares por teu mano, à noite,
Não t'esqueças — também reza por mim!

BÁLSAMO

Eu via-a lacrimosa sôbre as pedras
Rojar-se essa mulher que a dor ferira!
A morte lhe roubara dum só golpe
Marido e filho, encaneceu-lhe a fronte,
E deixou-a sozinha e desgrenhada
— Estátua da aflição aos pés dum túmulo!

O esquálido coveiro pra dous corpos
Ergueu a mesma enxada, e nessa noite
A mesma cova os teve!

E a mãe chorava,
E mais alto que o chôro erguia as vozes!
No entanto o sacerdote — fronte branca
Pelo gelo dos anos — a seu lado
Tentava consolá-la.

A mãe aflita,
Sublime dêsse belo desespêro,
As vozes não lhe ouvia; a dor suprema
Toldava-lhe a razão no duro transe.

"Oh padre! — disse a pobre s'estorcendo
"Co'a voz cortada dos soluços d'alma:
" —Onde o bálsamo, as falas d'esperança.
"O alívio à minha dor?!"

Grave e solene
O padre não falou — mostrou-lhe o céu!

DEUS! (*)

Eu me lembro! eu me lembro! — Era pequeno
E brincava na praia; o mar bramia,
E, erguendo o dorso altivo, sacudia
A branca escuma para o céu sereno.

(*) E' um dos poemas decorados em todo o Brasil.

E eu disse a minha mãe nesse momento:
"— Que dura orquestra! Que furor insano!
Que pode haver maior do que o oceano,
Ou que seja mais forte do que o vento?"

Minha mãe a sorrir olhou pros céus
E respondeu: — "Um Ser, que nós não vemos,
E' maior do que o mar, que nós tememos,
Mais forte que o tufão! Meu filho, é — Deus!"

1859

Neste ano, com o nome de **As Primaveras,** aparece, editado, no Rio, um livro de poesias de Casimiro de Abreu, com 260 págs., impresso na tipografia de Paula Brito. Em 1866 surge a 2.ª edição publicada no Porto e, depois, a 3.ª, em Lisboa, no ano de 1867. Posteriormente, a obra poética de Casimiro de Abreu vem sendo sucessivamente reeditada com o nome genérico de **As Primaveras,** constando destas: As canções do exílio, os cantos de amor, as poesias diversas e o chamado **livro negro,** ou poesias elegíacas. Sem generalizar, trataremos de tôdas as composições líricas do poeta, inteirando-lhe a obra completa, esparsa em inúmeros trabalhos inacabados.

1859

AS PRIMAVERAS

I – Cantos de amor
II – Poesias diversas
III – Poesias elegíacas
(ou Livro Negro)

A F. OTAVIANO

São as flores das minhas primaveras
Rebentadas à sombra dos coqueiros.

Teixeira de Melo, "Sombras e Sonhos".

Um dia — além dos Órgãos, na poética Friburgo — isolado dos meus companheiros de estudo, tive saudades da casa paterna e chorei.

Era de tarde; o crepúsculo descia sôbre a crista das montanhas e a natureza como que se recolhia para entoar o cântico da noite; as sombras estendiam-se pelo leito dos vales e o silêncio tornava mais solene a voz melancólica do cair das cachoeiras. Era a hora da merenda em nossa casa e pareceu-me ouvir o eco das risadas infantís de minha mana pequena! As lágrimas correram e fiz os primeiros versos da minha vida, que intitulei — Às Ave-Maria — a saudade havia sido a minha primeira musa.

Era um canto simples e natural como o dos passarinhos, e para possuí-lo hoje eu dera em troca êste volume inútil, que nem conserva ao menos o sabor virginal daqueles prelúdios!

Depois, mais tarde, nas ribas pitorescas do Douro ou nas várzeas do Tejo, tive saudades do meu ninho das florestas, e cantei; a nostalgia me apagava a vida e as veigas risonhas do Minho não tinham a beleza majestosa dos sertões.

Eu era entusiasta então e escrevia muito, porque me embalava à sombra duma esperança que nunca pude ver realizada. Numa hora de desalento rasguei muitas dessas páginas cândidas e quase que pedi o bálsamo da sepultura para as úlceras recentes do coração: é que as primeiras ilusões da vida, abertas de noite — caem pela manhã como as flores cheirosas das laranjeiras!

Flores e estrêlas, murmúrios da terra e mistérios do céu, sonhos de virgem e risos de criança, tudo o que é belo e tudo o que é grande, veiu por seu turno debruçar-se sôbre o espêlho mágico da minha alma e aí estampar a sua imagem fugitiva. Se nessa coleção de imagens predomina o perfil gracioso duma virgem, facilmente se explica: — era a filha do céu que vinha vibrar o alaúde adormecido do pobre filho do sertão.

Rico ou pobre, contraditório ou não, êste livro fez-se por si, naturalmente, sem esfôrço, e os cantos sairam conforme os lugares os iam despertando. Um dia a pasta, pejada de tanto papel, pedia que se lhe desse um destino qualquer, e foi então que resolvi a publicação das — **Primaveras**; — depois separei muitos cantos sombrios, guardei outros que constituem o meu — livro íntimo — e no fim de mudanças infinitas e caprichosas, pude ver o volume completo, e o entrego hoje sem receio e sem pretensões.

Todos aí acharão cantigas de criança, trovas de mancebo, e raríssimos lampejos de reflexão e de estudo: é o coração que se espraia sôbre o eterno tema do amor e que soletra o seu poema misterioso ao luar melancólico das nossas noites.

Meu Deus! que se há-de escrever aos vinte anos, quando a alma conserva ainda um pouco da crença e da virgindade do berço? Eu creio que sempre há tempo de sermos **homem sério,** e de preferirmos uma moeda de cobre a uma página de Lamartine.

De certo, tudo isso são ensaios; a mocidade palpita, e na sede que a devora, decepa os louros inda verdes, e antes de tempo quer ajustar as cordas do instrumento, que só a madureza da idade e o trato dos mestres poderão temperar.

O filho dos trópicos deve escrever numa linguagem — pròpriamente sua — lânguida como êle, quente como o sol que o abrasa, grande e misteriosa como as suas matas seculares; o beijo apaixonado das Celutas deve inspirar epopéias como a dos — **Timbiras** — e acordar os Renés enfastiados do desalento que os mata. Até então, até seguirmos o vôo arrojado do poeta de **Yuca-Pirama** — nós, cantores novéis, somos as vozes secundárias que se perdem no conjunto duma grande orquestra; há o único mérito de não ficarmos calados.

Assim, as minhas — **Primaveras** não passam dum ramalhete das flores próprias da estação, — flores que o vento esfolhará amanhã, e que apenas valem como promessa dos frutos do outono.

Rio, 20 de agosto de 1859.

PRIMAVERAS

O Primavera! Gioventú dell'anno,
Gioventú! primavera della vita.

Metastasio.

A primavera é a estação dos risos,
Deus fita o mundo com celeste afago,
Tremem as fôlhas e palpita o lago
Da brisa louca aos amorosos frisos,

Na primavera tudo é viço e gala,
Trinam as aves a canção de amôres,
E doce e bela no tapiz das flores,
Melhor perfume a violeta exala.

Na primavera tudo é riso e festa,
Brotam aromas do vergel florido,
E o ramo verde de manhã colhido
Enfeita a fronte de aldeã modesta.

A natureza se desperta rindo,
Um hino imenso a criação modula,
Canta a calhandra, a jurití arrula,
O mar é calmo porque o céu é lindo.

Alegre e verde se balança o galho,
Suspira a fonte na linguagem meiga,
Murmura a brisa: — Como é linda a veiga!
Responde a rosa: — Como é doce o orvalho!

Mas como às vêzes sob o céu sereno
Corre uma nuvem que a tormenta guia,
Também a lira alguma vez sombria
Solta gemendo de amargura um treno.

São flores murchas; — o jasmim fenece,
Mas bafejando s'erguerá de novo,
Bem como o galho de gentil renôvo
Durante a noite, quando o orvalho desce.

Se um canto amargo de ironia cheio
Treme nos lábios do cantor mancebo,
Em breve a virgem de seu casto enlevo
Dá-lhe um sorriso e lhe entumece o seio.

Na primavera — na manhã da vida —
Deus às tristezas o sorriso enlaça,
E a tempestade se dissipa e passa
À voz mimosa da mulher querida.

Na mocidade, na estação fogosa,
Ama-se a vida — a mocidade é crença,
E a alma virgem nesta festa imensa
Canta, palpita, s'extasia e goza.

CENA ÍNTIMA

Como estás hoje zangada
E como olhas despeitada
Só pra mim!

— Ora diz-me: êsses queixumes,
Êsses injustos ciúmes
Não têm fim?

Que pequei, eu bem conheço;
Mas castigo não mereço
Por pecar.
Pois tu queres chamar crime
Render-me à chama sublime
Dum olhar!

Por ventura te esqueceste
Quando de amor me perdeste
Num sorrir?
Agora em cólera imensa
Já queres dar a sentença
Sem me ouvir!

E depois, se eu te repito
Que nesse instante maldito
— Sem querer —
Arrastado por magia
Mil torrentes de poesia
Fui beber!

Eram uns olhos escuros
Muito belos, muito puros,
Como os teus!
Uns olhos assim tão lindos
Mostrando gozos infindos,
Só dos céus!

Quando os vi fulgindo tanto
Senti no peito um encanto
Que não sei!

Juro falar-te a verdade...
Foi de certo — sem vontade —
Que eu pequei!

Mas hoje, minha querida,
Eu dera até esta vida
Pra poupar
Essas lágrimas queixosas,
Que as tuas faces mimosas
Vêm molhar!

Sabe ainda ser clemente,
Perdoa um erro inocente,
Minha flor!
Seja grande embora o crime,
O perdão sempre é sublime,
Meu amor!

Mas se queres com maldade
Castigar quem — sem vontade
Só pecou;
Olha, linda, eu não me queixo,
A teus pés cair-me deixo...
Aqui 'stou!

Mas se me deste, formosa,
De amor na taça mimosa
Doce mel;
Ai! deixa que peça agora
Êsses extremos d'outrora
O infiel:

Prende-me... nesses teus braços
Em doces, longos abraços
Com paixão;

Ordena com gesto altivo
Que te beije êste cativo
Essa mão!

Mata-me sim... de ventura,
Com mil beijos de ternura
Sem ter dó,
Que eu prometo, anjo querido,
Não desprender um gemido,
Nem um só!

JURAMENTO

Tu dizes, ó Mariquinhas,
Que não crês nas juras minhas,
Que nunca cumpridas são!
Mas se eu não te jurei nada,
Como hás-de tu, estouvada,
Saber se eu as cumpro ou não?

Tu dizes que eu sempre minto,
Que protesto o que não sinto,
Que todo o poeta é vário,
Que é borboleta inconstante;
Mas agora, neste instante,
Eu vou provar-te o contrário.

Vem cá! — Sentada a meu lado,
Com êsse rosto adorado,
Brilhante de sentimento,
Ao colo o braço cingido,
Olhar no meu embebido,
Escuta o meu juramento.

Espera: — inclina essa fronte...
Assim!... — Pareces no monte
Alvo lírio debruçado!
— Agora, se em mim te fias,
Fica séria, não te rias,
O juramento é sagrado.

"— Eu juro sobre estas tranças
"E pelas chamas que lanças
"Dêsses teus olhos divinos,
"Eu juro, minha inocente,
"Embalar-te docemente
"Ao som dos mais ternos hinos!

"Pelas ondas, pelas flores,
"Que se estremecem de amôres
"Da brisa ao sôpro lascivo;
"Eu juro, por minha vida,
"Deitar-me a teus pés, querida,
"Humilde como um cativo!

"Pelos lírios, pelas rosas,
"Pelas estrêlas formosas,
"Pelo sol que brilha agora,
"Eu juro dar-te, Maria,
"Quarenta beijos por dia
"E dez abraços por hora!"

O juramento está feito,
Foi dito co'a mão no peito
Apontando ao coração:
E agora — por vida minha,
Tu verás, ó moreninha,
Tu verás se o cumpro ou não!...

PERFUME DE AMOR

Na primeira fôlha dum Album

A flor mimosa que abrilhanta o prado
Ao sol nascente vai pedir fulgor;
E o sol, abrindo da açucena as fôlhas,
Dar-lhe perfumes — desejar-lhe amor.

Eu que não tenho, como o sol, seus raios,
Embora sinta nesta fronte ardor,
Sempre quisera ao encetar teu álbum
Dar-lhe perfumes — desejar-lhe amor.

Meu Deus, nas fôlhas dêste livro puro
Não manche o pranto da inocência o alvor,
Mas cada canto que cair dos lábios
Traga perfumes — e murmure amor.

Aquí se junte, qual num ramo santo
Do nardo o aroma e da camélia a côr,
E possa a virgem, percorrendo as fôlhas,
Sorver perfumes — respirar amor.

Encontre a bela, caprichosa sempre,
Nos ternos hinos d'infantil frescor,
Entrelaçados na grinalda amiga
Doces perfumes — e celeste amor.

Talvez que diga, recordando tarde
O doce anelo do feliz cantor:
— Meu Deus, nas fôlhas do meu livro d'alma
Sobram perfumes — e não falta amor!

SEGREDOS

Eu tenho uns amôres — quem é que os não tinha
Nos tempos antigos? — Amar não faz mal;
As almas que sentem paixão como a minha,
Que digam, que falem em regra geral.

— A flor dos meus sonhos é moça bonita
Qual flor entr'abèrta do dia ao raiar;
Mas onde ela mora, que casa ela habita,
Não quero, não posso, não devo contar!

Seu rosto é formoso, seu talhe elegante,
Seus lábios de rosa, a fala é de mel,
As tranças compridas, qual livre bacante,
O pé de criança, cintura de anel.

— Os olhos rasgados são côr das safiras,
Serenos e puros, azues como o mar;
Se falam sinceros, se pregam mentiras,
Não quero, não posso, não devo contar!

Oh! ontem no baile com ela valsando
Senti as delícias dos anjos do céu!
Na dansa ligeira qual silfo voando
Caiu-lhe do rosto seu cândido véu!

— Que noite e que baile! — Seu hálito virgem
Queimava-me as faces no louco valsar,
As falas sentidas, que os olhos falavam,
Não quero, não posso, não devo contar!

Depois indolente firmou-se em meu braço,
Fugimos das salas, do mundo talvez!
Inda era mais bela rendida ao cansaço,
Morrendo de amôres em tal languidez!

— Que noite e que festa! e que lânguido rosto
Banhado ao reflexo do branco luar!
A neve do colo e as ondas dos seios
Não quero, não posso, não devo contar!

A noite é sublime! — Tem longos queixumes,
Mistérios profundos que eu mesmo não sei:
Do mar os gemidos, do prado os perfumes,
De amor me mataram, de amor suspirei!

— Agora eu vos juro... Palavra!! — não minto!
Ouvi a formosa também suspirar;
Os doces suspiros, que os ecos ouviram,
Não quero, não posso, não devo contar!

Então nesse instante nas águas do rio
Passava uma barca, e o bom remador
Cantava na flauta: — "Nas noites d'estio
O céu tem estrêlas, o mar tem amor!"

E a voz maviosa do bom gondoleiro
Repete cantando: — "viver é amar!" —
Se os peitos respondem à voz do barqueiro...
Não quero, não posso, não devo contar!

Trememos de mêdo... a bôca emudece
Mas sentem-se os pulos do meu coração!
Seu seio nevado de amor se entumece...
E os lábios se tocam no ardor da paixão!

— Depois... mas já vejo que vós, meus senhores,
Com fina malícia quereis me enganar;
Aqui faço ponto; — segredos de amôres
Não quero, não posso, não devo contar!

A VALSA

Tu, ontem
Na dansa
Que cansa,
Voavas
C'o as faces
Em rosas
Formosas
De vivo,
Lascivo
Carmim;
Na valsa
Tão falsa,
Corrias,
Fugias,
Ardente,
Contente,
Tranquila,
Serena,
Sem pena
De mim!
Quem dera
Que sintas
As dores
De amôres
Que louco
Senti!
Quem dera
Que sintas
— Não negues,
Não mintas...
Eu vi!...
Valsavas.
— Teus belos

Cabelos,
Já soltos,
Revoltos,
Saltavam,
Voavam,
Brincavam
No colo
Que é meu;
E os olhos
Escuros
Tão puros,
Os olhos
Perjuros
Volvias;
Tremias;
Sorrias
Pra outro,
Não eu!
Quem dera
Que sintas
As dores
De amôres
Que louco
Sentí !
Quem dera
Que sintas!...
— Não negues,
Não mintas...
— Eu vi !...

Meu Deus!
Eras bela
Donzela,
Valsando,
Sorrindo

Fugindo,
Qual silfo
Risonho,
Que em sonho
Nos vem!
Mas êsse
Sorriso
Tão liso,
Que tinhas
Nos lábios
De rosa,
Formosa,
Tu davas,
Mandavas
A quem?
Quem dera
Que sintas
As dores
De amôres
Que louco
Sentí!
Quem dera
Que sintas!...
— Não negues,
Não mintas...
— Eu vi!...

Calado,
Sozinho
Mesquinho,
Em zelos
Ardendo,
Eu vi-te
Correndo
Tão falsa

Na valsa
Veloz!
Eu triste
Vi tudo!
Mas mudo
Não tive
Nas galas
Das salas,
Nem falas,
Nem cantos,
Nem prantos,
Nem voz!
Quem dera
Que sintas
As dores
De amôres
Que louco
Sentí !
Quem dera
Que sintas!...
— Não negues,
Não mintas...
— Eu vi !...

Na valsa
Cansaste:
Ficaste
Prostrada,
Turbada!
Pensavas,
Cismavas,
E estavas
Tão pálida
Então;
Qual pálida
Rosa

Mimosa,
No vale
Do vento
Cruento
Batida,
Caída
Sem vida
No chão!
Quem dera
Que sintas
As dores
De amôres
Que louco
Sentí !
Quem dera
Que sintas!...
— Não negues,
Não mintas...
— Eu vi!...

BORBOLETA

Borboleta dos amôres,
Como a outra sôbre as flores,
Porque és volúvel assim?
Porque deixas, caprichosa,
Porque deixas tu a rosa
E vais beijar o jasmim?

Pois essa alma é tão sedenta
Que um só amor não contenta
E louca quer variar?
Se já tens amôres belos,
Pra que vais dar teus desvelos
Aos goivos da beira-mar?

Não sabes que a flor traída
Na débil haste pendida
Em breve murcha será?
Porque és volúvel assim?
Porque deixas, caprichosa,
Porque deixas tu a rosa
E vais beijar o jasmim?!

Tu vês a flor da campina,
E bela e terna e divina,
Tu dás-lhe o que essa alma tem;
Depois, passado o delírio,
Esqueces o pobre lírio
Em troca duma cecém!

Mas tu não sabes, louquinha,
Que a flor que pobre definha
Merece mais compaixão?
Que a desgraçada precisa,
Como do sôpro da brisa,
Dos ais do teu coração?

Borboleta dos amôres,
Como a outra sôbre as flores,
Porque és volúvel assim?
Porque deixas, caprichosa,
Porque deixas tu a rosa
E vais beijar o jasmim?

Se a borboleta dourada
Esquece a rosa encarnada
Em troca duma outra flor;
Ela — a triste, molemente
Pendida sôbre a corrente,
Falece à míngua d'amor.

Tu também, minha inconstante,
Tens tido mais dum amante
E nunca amaste a um só!
Eles morrem de saudade,
Mas tu na variedade
Vais vivendo e não tens dó!

Ai! és muito caprichosa!
Sem pena deixas a rosa
E vais beijar outras flores;
Esqueces os que te amam...
Por isso todos te chamam:
— Borboleta dos amôres!

QUANDO TU CHORAS

Quando tu choras, meu amor. teu rosto
Brilha formoso com mais doce encanto,
E as leves sombras de infantil desgôsto
Tornam mais belo o cristalino pranto.

Oh! nessa idade da paixão lasciva,
Como o prazer, é o chorar preciso;
Mas breve passa — qual a chuva estiva —
E quase ao pranto se mistura o riso.

E' doce o pranto de gentil donzela,
E' sempre belo quando a virgem chora:
— Semelha a rosa pudibunda e bela
Toda banhada do orvalhar da aurora.

Da noite o pranto, que tão pouco dura,
Brilha nas fôlhas como um rir celeste,
E a mesma gota transparente e pura
Treme na relva que a campina veste.

Depois o sol, como sultão brilhante,
De luz inunda o seu gentil serralho,
E às flores tôdas — tão feliz amante!
Cioso sorve o matutino orvalho.

Assim, se choras, inda és mais formosa,
Brilha teu rosto com mais doce encanto:
— Serei o sol e tu serás a rosa...
Chora, meu anjo, — beberei teu pranto!

CANTO DE AMOR

Eu vi-a e minha alma antes de vê-la
Sonhara-a linda como agora a vi;
Nos puros olhos e na face bela,
Dos meus sonhos a virgem conhecí.

Era a mesma expressão, o mesmo rosto,
Os mesmos olhos só nadando em luz,
E uns doces longes, como dum desgôsto,
Toldando a fronte que de amor seduz!

E seu talhe era o mesmo, esbelto, airoso
Como a palmeira que se ergue ao ar,
Como a tulipa ao pôr do sol saudoso,
Mole vergando à viração do mar.

Era a mesma visão que eu dantes via,
Quando a minha alma transbordava em fé;
E nesta eu creio como na outra eu cria,
Porque é a mesma visão, bem sei que é!

No silêncio da noite a virgem vinha,
Sôltas as tranças, junto a mim dormir;
E era bela, meu Deus, assim sozinha
No meu sono d'infante inda a sorrir!...

☆

Vi-a e não vi-a! Foi num só segundo
Tal como a brisa ao perpassar na flor,
Mas nesse instante resumi um mundo
De sonhos de ouro e de encantado amor.

O seu olhar não me cobriu d'afago,
E minha imagem nem sequer guardou.
Qual se reflete sôbre a flor dum lago
A branca nuvem que no céu passou.

A sua vista espairecendo vaga,
Quase indolente, não me viu, ai, não!
Mas eu que sinto tão profunda a chaga
Ainda a vejo como a vi então.

Que rosto d'anjo, qual estátua antiga
No altar erguida, já caído o véu!
Que olhar de fogo, que a paixão instiga!
Que níveo colo prometendo um céu!

Vi-a e amei-a, que a minha alma ardente
Em longos sonhos a sonhara assim;
O ideal sublime, que eu criei na mente,
Que em vão buscava e que encontrei por fim!

✡

Pra ti, formosa, o meu sonhar de louco
E o dom fatal, que desde o berço é meu;
Mas se os cantos da lira achares pouco,
Pede-me a vida, porque tudo é teu.

Se queres culto — como um crente adoro,
Se preito queres — eu te caio aos pés,
Se rires, — rio, se chorares, choro,
E bebo o pranto que banhar-te a tez.

Dá-me em teus lábios um sorrir fagueiro,
E dêsses olhos um volver, um só;
E verás que meu estro, hoje rasteiro,
Cantando amôres se erguerá do pó!

Vem reclinar-te, como a flor pendida,
Sôbre êste peito cuja voz calei:
Pede-me um beijo... e tu terás, querida,
Toda a paixão que para ti guardei.

Do morto peito vem turbar a calma,
Virgem, terás o que ninguém te dá;
Em delírios d'amor dou-te a minha alma,
Na terra, a vida, a eternidade — lá!

Se tu, oh linda, em chama igual te abrasas,
Oh! não me tardes, não me tardes, — vem!
Da fantasia nas douradas asas
Nós viveremos noutro mundo — além!

De belos sonhos nosso amor povôo,
Vida bebendo nos olhares teus;
E como a garça que levanta o vôo,
Minha alma em hinos falará com Deus!

Juntas, unidas num estreito abraço,
As nossas almas numa só serão,
E a fronte enfêrma sôbre o teu regaço
Criará poemas d'imortal paixão!

Oh! vem, formosa, meu amor é santo,
E' grande e belo como é grande o mar,
E' doce e triste como d'harpa um canto
Na corda extrema que já vai quebrar!

Oh! vem depressa, minha vida foge...
Ampara o lírio que já murcho cai!
Ampara o lírio, que inda é tempo hoje!
Orvalha o lírio que morrendo vai!...

VIOLETA

Sempre teu lábio severo
Me chama de borboleta!
— Se eu deixo a rosa do prado
E' só por ti — violeta!

Tu és formosa e modesta,
As outras são tão vaidosas!
Embora vivas na sombra
Amo-te mais do que às rosas.

A borboleta travêssa
Vive de sol e de flores...
— Eu quero o sol de teus olhos,
O néctar dos teus amôres!

Cativo de teu perfume
Não mais serei borboleta;
— Deixa eu dormir no teu seio,
Dá-me o teu mel — violeta!

O QUE?

Em que cismas, poeta? Que saudades
Te adormecem na mágica fragrância
Das rosas do passado já pendidas?
Nos sonhos d'alma que te lembra? — A infância!

Que sombra, que fantasma vem banhado
No doce eflúvio dessa quadra linda?
E a mente a folhear os dias idos
Que nome te recorda agora? — Arinda!

Mas se passa essa quadra, fugitiva,
Qual no horizonte solitária vela,
Porque cismar na vida e no passado?
E de quem são essas saudades? — Dela!

E se a virgem viesse agora mesmo,
Surgindo bela qual visão de amôres,
Tu, pra saudá-la bem do imo d'alma,
Diz-me, poeta — o que escolhias? — Flores.

E se ela, farta dos aromas doces,
Que tem achado nos jardins divinos,
Tão caprichosa machucasse as rosas...
Diz-me, meu louco, o que mais tinhas? —

E se, teimosa, rejeitando a lira,
A fronte virgem para ti pendida,
Dum beijo a paga te pedisse altiva...
O que lhe davas, meu poeta? — A vida!

SONHOS DE VIRGEM

Que sonhas, virgem, nos sonhos
Que à mente te vêm risonhos
Na primavera inda em flor?
No celeste devaneio,
No doce bater do seio,
Que sonhas, virgem? — amor?

Que céus, que jardins, que flores,
Que longos cantos de amôres
Nos lindos sonhos te vêm?
E quando a mente delira,
E quando o peito suspira,
Suspira o peito — por quem?

Sonhando mesmo acordada,
Pendida a fronte adorada,
Num cismar vago e sem fim;
Do olhar o fogo tão vivo,
A voz, o riso lascivo,
O pensamento é — pra mim?!

Quando tu dormes tranqüila,
Cerrada a negra pupila
E o lábio doce a sorrir,
Então o sonho dourado
Nas dobras do cortinado
Vem esmaltar teu dormir!

Oh, sonha! — Feliz a idade
Das rosas da virgindade,
Dos sonhos do coração!
— Puro vergel de açucenas
Ou lago d'águas serenas
Que estremece à viração!

Feliz! Feliz quem pudera
Colher-te na primavera
De galas rica e louçã!
Feliz, ó flor dos amôres,
Quem te beber os odores
Nos orvalhos da manhã!

ASSIM!

Viste o lírio da campina?
    Lá se inclina
E murcho no hastil pendeu!
— Viste o lírio da campina?
    Pois, divina,
Como o lírio assim sou eu!

Nunca ouviste a voz da flauta
A dor do nauta
Suspirando no alto mar?
— Nunca ouviste a voz da flauta?
Como o nauta
E' tão triste o meu cantar!

— Não viste a rôla sem ninho?
No caminho
Gemendo, se a noite vem?
Não viste a rôla sem ninho?
Pois, anjinho,
Assim eu gemo também!

Não viste a barca pendida,
Sacudida
Nas asas dalgum tufão?
— Não viste a barca pendida?
Pois, querida,
Assim vai meu coração!

(41/4)

QUANDO ?

Não era belo, Maria,
Aquêle tempo de amôres,
Quando o mundo nos sorria,
Quando a terra era só flores
Da vida na primavera?
— Era!

Não tinha o prado mais rosas,
O sabiá mais gorgeios,
O céu mais nuvens formosas,
E mais puros devaneios
A tua alma inocentinha?
— Tinha!

E como achavas, Maria,
Aquêles doces instantes
De poética harmonia
Em que as brisas doudejantes
Folgavam nos teus cabelos?
— Belos!

Como tremias, ó vida,
Se em mim os olhos fitavas!
Como eras linda, querida,
Quando d'amor suspiravas
Naquela encantada aurora!
— Ora!

E diz-me: não te recordas
— Debaixo do cajueiro,
Lá da lagoa nas bordas
Aquêle beijo primeiro?
Ia o dia já findando...
— Quando?

SEMPRE SONHOS!...

Se eu tivesse, meu Deus, santos amôres,
Eu m'erguera cantando essa paixão,
E atirara pra longe — sem saudade —
Este véu que me cobre a mocidade
De tanta escuridão!

Eu que sou como o cardo do rochedo
Quase morto dos ventos ao rigor,
Encontrara de novo a minha vida,
O sol da primavera e a luz perdida,
Nos braços dêsse amor!

Minha fronte, que pende sofredora,
Acharia, meu Deus, inspirações,
E o fogo, que queimou Gilbert e Dante,
Correria mais puro e mais constante
Na lira das canções!

No mundo tão gentil dos devaneios
Minh'alma mais feliz saudara a luz,
E apagara, Senhor, num beijo puro
A imensa dor da perda do futuro
Que à morte me conduz.

Por ela eu deixaria a voz das turbas
E esta ânsia infeliz de glória vã;
Na vida que nos corre tão sombria
Eu seria, meu Deus, seu doce guia,
E ela — minha irmã!

Eu velara, Senhor, pelos seus dias,
Como a mãe vela o filho que dormiu:
Se um dia ela soltasse um só gemido,
Eu iria saber porque ferido
Seu seio assim buliu!

Como à combra das árvores da pátria
Se embala a doce filha dos tupís,
A sombra da ventura e da esperança
Embalara, meu Deus, essa criança
Nos cantos juvenís!

Como o nauta olha o céu de primavera,
Eu, sentado a seus pés, ébrio de amor,
Espreitara tremendo no seu rosto
A sombra fugitiva dum desgôsto,
A nuvem duma dor!

Eu lhe iria mostrar nos imos d'alma
Outro mundo, outro céu, outros vergéis;
Nossa vida seria um doce afago,
Nós — dois cisnes vogando em manso lago,
— Amor — nossos batéis!

Se eu tivesse, meu Deus, santos amôres,
Eu deixara êste amor da glória vã;
Nesse mundo de luz, doce e risonho,
A pudibunda virgem do meu sonho
Seria minha irmã!

PALAVRAS NO MAR

Se eu fôsse amado!...
Se um rosto virgem
Doce vertigem
Me desse n'alma
Turbando a calma
Que me enlanguece!...
Oh! se eu pudesse
Hoje — sequer —
Fartar desejos
Nos longos beijos
Duma mulher!...
Se o peito morto
Doce confôrto

Sentisse agora
Na sua dor;
Talvez nesta hora
Viver quisera
Na primavera
De casto amor!
Então minh'alma,
Turbada a calma,
— Harpa vibrada
Por mão de fada —
Como a calandra
Saúda o dia,
Em meigos cantos
Se exalaria
Na melodia
Dos sonhos meus;
E louca e terna
Nessa vertigem
Amara a virgem
Cantando a Deus!

PEPITA

A toi! toujours à toi!

V. Hugo.

Minh'alma é mundo virge' — ilha perdida —
Em lagos de cristais;
Vem, Pepita, — Colombo dos amôres, —
Vem descobrí-la, no país das flores
Sultana reinarás!

Eu serei teu vassalo e teu cativo
Nas terras onde és rei;
À sombra dos bambus vem tu ser minha;
Teu reinado de amor, doce rainha,
Na lira cantarei.

Minh'alma é como o pombo inda sem penas
Sòzinho a pipilar;
Vem tu, Pepita, visitá-lo ao ninho;
As asas a bater, o passarinho
Contigo irá voar.

Minh'alma é como a rocha tôda estéril
Nos plainos do Sará;
Vem tu — fada de amor — dar-lhe co'a vara...
Qual do penedo que Moisés tocara,
O jôrro saltará.

Minh'alma é um livro lindo, encadernado,
Co'as folhas em setim;
— Vem tu, Pepita, soletrá-lo um dia;
Tem poemas de amor, tem melodia
Em cânticos sem fim!

Minh'alma é o batel prendido à margem
Sem leme, em ócio vil;
— Vem soltá-lo, Pepita, e correremos
— Sôltas as velas — desprezando remos,
Que o mar é todo anil.

Minh'alma é um jardim oculto em sombras
Co'as flores em botão;
Vem ser da primavera o sôpro louco,
— Vem tu, Pepita, bafejar-me um pouco,
Que as rosas abrirão.

O mundo em que eu habito tem mais sonhos,
A vida mais prazer;
— Vem, Pepita, das tardes no remanso,
Da rede dos amôres no balanço
Comigo adormecer.

Oh, vem! eu sou a flor aberta à noite
Pendida no arrebol!
Dá-me um carinho dessa voz lasciva,
E a flor pendida se erguerá mais viva
Aos raios dêsse sol!

Bem vês, sou como a planta que definha
Torrada do calor.
— Dá-me o riso feliz em vez da mágua...
O lírio morto quer a gota dágua,
— Eu quero o teu amor!

VISÃO

Uma noite... Meu Deus, que noite aquela!
Por entre as galas, no fervor da dansa,
Vi passar, qual num sonho vaporoso,
O rosto virginal duma criança.

Sorrí-me; — era o sonho de minh'alma
Êsse riso infantil que o lábio tinha:
— Talvez que essa alma dos amôres puros
Pudesse um dia conversar co'a minha!

Eu olhei, ela olhou... doce mistério!
Minh'alma despertou-se à luz da vida,
E as vozes duma lira e dum piano
Juntas se uniram na canção querida.

Depois eu, indolente, descuidei-me
Da planta nova dos gentis amôres,
E a criança, correndo pela vida,
Foi colher nos jardins mais lindas flores.

Não voltou; — talvez ela adormecesse
Junto à fonte, deitada na verdura,
E — sonhando — a criança se recorde
Do moço que ela viu e que a procura!

Corri pelas campinas noite e dia
Atrás do berço de ouro dessa fada;
Rasguei-me nos espinhos do caminho...
Cansei-me a procurar e não vi nada!

Agora como um louco eu fito as turbas
Sempre a ver se descubro a face linda...
— Os outros a sorrir passam cantando,
Só eu a suspirar procuro ainda!...

Onde foste, visão dos meus amôres!
Minh'alma, sem te ver, louca suspira!
— Nunca mais unirás, sombra encantada,
O som do teu piano à voz da lira?!...

QUEIXUMES

Olho e vejo... tudo é gala,
Tudo canta e tudo fala
Só minh'alma
Não se acalma,

Muda e triste não se ri!
Minha mente já delira,
E meu peito só suspira
Por ti! Por ti!

Ai! quem me dera essa vida
Tão bela e doce, vivida
Nos meus lares
Sem pesares,
No sossêgo só dalí
Não tinha-te visto as tranças,
Nem rasgado as esperanças,
Por ti! Por ti!

Perdí as flores da idade,
E na flor da mocidade
E' meu canto
— Todo pranto,

Qual a voz da jurití!
No teu sorriso embebido
Deixei meu sonho querido
Por ti! Por ti!

Ai! se eu pudesse, formosa,
Roçar-te os lábios de rosa
Como às flores
— Seus amôres,
Faz o louco colibrí;
Esta minh'alma nos hinos
Erguera cantos divinos
Por ti! Por ti!

Ai! assim viver não posso!
Morrerei, meu Deus, bem moço,
Qual na aurora
Que descora,
Desfolhado bogarí;
Mas lá da campa na beira
Será a voz derradeira
Por ti! Por ti!

Ai! não me esqueças já morto!
À minh'alma dá confôrto,
Diz na lousa:
— "Êle repousa,
"Coitado! descansa aquí" —
Ai! não t'esqueças, senhora,
Da flor pendida na aurora
Por ti! Por ti!

AMOR E MÊDO

Quando eu te fujo e me desvio cauto
Da luz de fogo que te cerca, ó bela,
Contigo dizes, suspirando amôres:
"— Meu Deus, que gêlo, que frieza aquela!"

Como te enganas! meu amor é chama,
Que se alimenta no voraz segrêdo,
E se te fujo é que te adoro louco...
És bela — eu moço; tens amor, eu — mêdo!...

Tenho mêdo de mim, de ti, de tudo,
Da luz, da sombra, do silêncio ou vozes,
Das fôlhas sêcas, do chorar das fontes,
Das horas longas a correr velozes.

O véu da noite me atormenta em dores,
A luz da aurora me entumece os seios,
E ao vento fresco do cair das tardes
Eu me estremeço de cruéis receios.

E' que êsse vento que na várzea — ao longe,
Do colmo o fumo caprichoso ondeia,
Soprando um dia tornaria incêndio
A chama viva que teu riso ateia!

Ai! se abrasado crepitasse o cedro,
Cedendo ao raio que a tormenta envia,
Diz: — que seria da plantinha humilde
Que à sombra dêle tão feliz crescia?

A labareda que se enrosca ao tronco
Torrara a planta qual queimara o galho,
E a pobre nunca reviver pudera,
Chovesse embora paternal orvalho!

Ai! se eu te visse no calor da sesta,
A mão tremente no calor das tuas,
Amarrotado o teu vestido branco,
Soltos cabelos nas espáduas nuas!...

Ai! se eu te visse, Madalena pura,
Sôbre o veludo reclinada a meio,
Olhos cerrados na volúpia doce,
Os braços frouxos — palpitante o seio!...

Ai! se eu te visse em languidez sublime,
Na face as rosas virginais do pejo,
Trêmula a fala, a protestar baixinho...
Vermelha a bôca, soluçando um beijo!...

Diz: — que seria da pureza de anjo,
Das vestes alvas, do candor das asas?
— Tu te queimaras, a pisar descalça,
— Criança louca, — sôbre um chão de brasas!

No fogo vivo eu me abrasara inteiro!
Ébrio e sedento na fugaz vertigem,
Vil, machucara com meu dedo impuro
As pobres flores da grinalda virgem!

Vampiro infame, eu sorveria em beijos
Toda a inocência que teu lábio encerra,
E tu serias no lascivo abraço
Anjo enlodado nos paúes da terra.

Depois... desperta no febril delírio,
— Olhos pisados — como um vão lamento,
Tu perguntaras: — que é da minha c'roa?...
Eu te diria: desfolhou-a o vento!...

Oh! não me chames coração de gelo!
Bem vez; traí-me no fatal segrêdo.
Se de ti fujo é que te adoro e muito,
És bela — eu moço; tens amor, eu — medo!...

PERDÃO!

Choraste?! — E a face mimosa
Perdeu as cores da rosa
E o seio todo tremeu?!
Choraste, pomba adorada?!
E a lágrima cristalina
Banhou-te a face divina,
E a bela fronte inspirada
Pálida e triste pendeu?!

Choraste?! — E longe não pude
Sorver-te a lágrima pura,
Que banhou-te a formosura!
Ouvir-te a voz de alaúde
A lamentar-se sentida!
Humilde cair-te aos pés
Oferecer-te esta vida
No sacrifício mais santo,
Para poupar esse pranto,
Que te rolou sobre a tez!

Choraste?! — De envergonhada,
No teu pudor ofendida,
Porque minh'alma atrevida
No seu palácio de fada,
— No sonhar da fantasia —
Ardeu em loucos desejos,
Ousou cobrir-te de beijos
E quis manchar-te na orgia!

. . . .

Perdão pro pobre demente
Culpado, sim, — inocente —
Que, se te amou, foi de mais!
Perdão pra mim que não pude
Calar a voz de alaúde,
Nem comprimir os meus ais!
Perdão, ó flor dos amores,
Se quis manchar-te os verdores,
Se quis tirar-te do hastil!
— Na voz que a paixão resume
Tentei sorver-te o perfume...
E fui covarde e fui vil!

. . . .

Eu sei, devera sozinho
Sofrer comigo o tormento
E na dor do pensamento
Devorar essa agonia!
Devera, sedento algoz,
Em vez de sonhos felizes,
Cortar no peito as raizes
Desse amor, e tão descrido
Dos hinos matar-lhe a voz!

— Devera, pobre fingido,
Tendo n'alma atroz desgosto,
Mostrar sorrisos no rosto,
Em vez de máguas — prazer,
E mudo e triste e penando,
Como um perdido te amando,
Sentir, calar-me, e — morrer!

....

Não pude! — A mente fervia,
O coração transbordava.
Interna a voz que falava,
E louco ouvindo a harmonia
Que a alma continha em si,
Soltei na febre o meu canto
E do delírio no pranto
Morrí de amores — por ti!

....

Perdão! se fui desvairado
Manchar-te a flor de inocência,
E do meu canto na ardência,
Ferir-te no coração!

— Será enorme o pecado,
Mas tremenda a expiação
Se me deres por sentença
Da tua alma a indiferença,
Do teu lábio a maldição!...

. . . .

Perdão, senhora!... Perdão!...

MOCIDADE

Ninon, Ninon, que fais-tu de la vie?
L'heure s'enfuit, le jour succède ao jour.
Rose ce soir, demain flétrie,
Comment vis-tu, toi qui n'as pas d'amour!...

Musset.

Doce filha da lânguida tristeza,
Ergue a fronte pendida — o sol fulgura!
Quando a terra sorri-se e o mar suspira,
Porque te banha o rosto essa amargura?!

Porque chorar quando a natura é risos,
Quando no prado a primavera é flores?
— Não foge a rosa quando o sol a busca,
Antes se abrasa nos gentís fulgores

Não! — Viver é amar, é ter um dia
Um amigo, uma mão que nos afague;
Uma voz que nos diga os seus queixumes,
Que as nossas máguas com amor apague.

A vida é um deserto aborrecido
Sem sombra doce ou viração calmante;
— Amor — é a fonte que nasceu nas pedras
E mata a sêde à caravana errante.

Amai-vos! — disse Deus criando o mundo,
Amemos! — disse Adão no paraiso!
Amor! — murmura o mar nos seus queixumes,
Amor! — repete a terra num sorriso!

Doce filha da lânguida tristeza,
Tua alma a suspirar de amor definha...
— Abre os olhos gentís à luz da vida,
Vem ouvir no silêncio a voz da minha!
Amemos! Este mundo é tão tristonho!

A vida, como um sonho — brilha e passa;
Porque não havemos pra acalmar as dores
Chegar aos lábios o licor da taça?

O mundo! o mundo! — E que te importa o mundo?
— Velho invejoso, a resmungar baixinho!
Nada perturba a paz serena e doce
Que as rolas gozam no seu casto ninho.

Amemos! — tudo vive e tudo canta...
Cantemos! seja a vida — hinos e flores;
De azul se veste o céu... — vistamos ambos
O manto perfumado dos amores.

....

Doce filha da lânguida tristeza,
Ergue a fronte pendida — o sol fulgura!
— Como a flor indolente da campina,
Abre ao sol da paixão tua alma pura!

NOIVADO

Filha do céu — ó flor das esperanças,
Eu sinto um mundo no bater do peito!
Quando a lua brilhar num céu sem nuvens
Desfolha rosas no virgíneo leito.

....

Nas horas do silêncio inda és mais bela!
Banhada do luar, num vago anseio,
Os negros olhos de volúpia mortos,
Por sob a gaze te estremece o seio!

Vem! a noite é tão linda, o mar é calmo,
Dorme a floresta — meu amor só vela;
Suspira a fonte e minha voz sentida
E' doce e triste como as vozes dela.

Qual eco fraco de amorosa queixa
Perpassa a brisa na magnólia verde,
E o som maguado do tremer das folhas
Longe — bem longe — de vagar se perde.

Que céu tão puro! que silêncio angusto!
Que aromas doces! que natura esta!
Cansada a terra adormeceu sorrindo
Bem como a virgem no cair da sesta!

Vem! tudo é tão tranqüilo, a terra dorme,
Bebe o sereno o lírio do valado...
— Sozinhos, sobre a relva da campina,
Que belo que será nosso noivado!

Tu dormirás ao som dos meus cantares
O' filha do sertão, sobre o meu peito!
O moço triste, o sonhador mancebo
Desfolha rosas no teu casto leito.

....

DE JOELHOS

Qual reza o irmão pelas irmãs queridas,
Ou a mãe que sofre pela filha bela,
Eu — de joelhos — com as mãos erguidas,
Suplico ao céu a f'licidade **dela**

— "Senhor meu Deus, que sois clemente e justo,
Dais voz às brisas e perfume à rosa,
Oh! protegei-a com o manto augusto,
A doce virgem que sorrí medrosa!

Lançai os olhos sobre a linda filha,
Dai-lhe o sossêgo no seu casto ninho,
E da vereda que seu pé já trilha
Tirai a pedra e desviai o espinho!

Senhor! livrai-a da rajada dura,
A flor mimosa que desponta agora;
Deitai-lhe orvalho na corola pura,
Dai-lhe bafejos, prolongai-lhe a aurora!

A doce virgem, como a tenra planta,
Nunca floresce sobre a terra ingrata,
— Bem como a rola — qualquer folha a espanta,
— Bem como o lírio — qualquer vento a mata.

Ela é a rola que a floresta cria,
Ela é o lírio que a manhã descerra...
Senhor, amai-a — a sua voz macia
Como a das aves, a inocência encerra!

Sua alma pura na novél vertigem
Pede ao amor o seu futuro inteiro...
— Senhor! ouví o suspirar da virgem,
Dourai-lhe os sonhos no sonhar primeiro!

A mocidade, como a deusa antiga,
Na fronte virgem lhe derrama flores...
— Abri-lhe as rosas da grinalda amiga,
Na mocidade derramai-lhe amores!

Cercai-a sempre de bondade eterna,
Lançai orvalho sobre a flor querida;
Fazei-lhe, oh! Deus! a primavera eterna,
Dai-lhe bafejos — prolongai-lhe a vida!

Depois — de joelhos — eu direi: sois justo,
Senhor! mil graças eu vos rendo agora!
Vós protegestes com o manto augusto
A doce virgem que a minh'alma adora! —

SONHANDO

Um dia, ó linda, embalada
Ao canto do gondoleiro,
Adormeceste inocente
No teu delírio primeiro,
— Por leito berço das ondas,
Meu colo por travesseiro!

Eu, pensativo, cismava
Nalgum remoto desgosto,
Avivado na tristeza
Que a tarde tem, ao sol-posto,
E ora mirava as nuvens,
Ora fitava teu rosto.

Sonhavas então, querida,
E presa de vago anseio
Debaixo das roupas brancas
Sentí bater o teu seio,
E meu nome num soluço
À flor dos lábios te veiu!

Tremeste como a tulipa
Batida do vento frio...
Suspiraste como a folha
Da brisa ao doce cicio...
E abriste os olhos sorrindo
Às águas quietas do rio!

Depois — uma vez — sentados
Sob a copa do arvoredo,
Falei-te desse soluço
Que os lábios abriu-te a medo...
— Mas tu, fugindo, guardaste
Daquele sonho o segredo!

LEMBRAS-TE ?

Diz-me, Júlia, não te lembras
Da nossa aurora de amor,
Daquele beijo primeiro
Dado com tanto temor;

Palavras apaixonadas
De beijos entrecortadas,
E tuas faces coradas
De virgindade e pudor?

Como era belo esse tempo
Em que tudo nos sorria!
Os campos tinham mais vida,
As tardes mais poesia,
As noites eram formosas,
As brisas voluptuosas,
O jardim tinha mais rosas,
O bosque mais harmonia!

Os dias eram mais curtos,
As horas... essas fugiam,
Os ragatos murmuravam,
As fontes já não gemiam;
O porvir era brilhante,
De sonhos, embriagante,
E lá na praia distante
As mesmas ondas dormiam!

Era vida, mocidade,
Era amor, era ternura;
Em cada hora — uma esperança,
Cada dia — uma aventura,
Cada rosa — uma ilusão,
Nos lábios uma canção,
Aquí no peito — um vulcão,
Em tí, Júlia, — a formosura!

Mas diz-me: tu não te lembras
Daquela tarde de abril,
Em que eu mirava gostoso
Esse teu rosto gentil?

Daquela tarde formosa
Em que a brisa era amorosa,
Em que a fonte era saudosa
Em que o céu era d'anil?...

Num jardim todo florido,
No mesmo banco sentados,
Não te lembras dos olhares
Ardentes, apaixonados?
Como eu sorvia anelante,
Quase louco, delirante,
O sorrir interessante
De teus lábios tão corados?...

Os teus olhos eram — chamas,
A tua boca — um portento,
As tuas faces — mimosas,
Tua expressão — sentimento.
Eu olhava extasiado,
Eu padecia calado
Esse sentir abrasado,
Esse amor que era — tormento!

Os olhos então falavam
Uma sublime linguagem,
Modulada pelas queixas
Que soltava a branda aragem,
Embalando docemente
Ora as águas da corrente,
Ora uma rosa indolente,
Ora do choupo a folhagem.

Pouco a pouco embriagado
Dos teus olhos no fulgor,
Uní meus lábios aos teus,
Que abrasavam de calor.

Como coraste de pejo
Ao matar esse desejo...
Como foi longo esse beijo,
Primeiro beijo de amor!...

....

....

Diz-me, Júlia, não te lembras
Daquela tarde de abril
Em que eu mirava gostoso
Esse teu rosto gentil?
Daquela tarde formosa
Em que a brisa era amorosa,
Em que a fonte era saudosa,
Em que o céu era d'anil?

DESEJOS

Se eu soubesse que no mundo
Existia um coração
Que só por mim palpitasse
De amor em terna expansão;
Do peito calara as máguas,
Bem feliz eu era então!

Se essa mulher fosse linda
Como os anjos lindos são,
Se tivesse quinze anos,
Se fosse rosa em botão,
Se inda brincasse inocente,
Descuidosa no gazão;

Se tivesse a tez morena,
Os olhos com expressão,
Negros, negros, que matassem,

Que morressem de paixão,
Impondo sempre tiranos
Um jugo de sedução;

Se as tranças fossem escuras,
Lá castanhas é que não,
E que caissem formosas
Ao sopro da viração,
Sobre uns ombros torneados,
Em amavel confusão;

Se a fronte pura e serena
Brilhasse d'inspiração;
Se o tronco fosse flexivel
Como a rama do chorão;
Se tivesse os lábios rubros,
Pé pequeno e linda mão;

Se a voz fosse harmoniosa
Como d'harpa a vibração,
Suave como a da rola
Que geme na solidão,
Apaixonada e sentida
Como do bardo a canção;

E se o peito lhe ondulasse
Em suave ondulação,
Ocultando em brancas vestes
Na mais branda comoção
Tesouros de seios virgens,
Dois pomos de tentação;

E se essa mulher formosa
Que me aparece em visão,
Possuisse uma alma ardente,

Fosse de amor um vulcão;
Por ela tudo daria...
— A vida, o céu, a razão!

ELISA

O rouxinol
Que na balseira
Do rio à beira,
Canção fagueira
Que tão bem soa,
Cadente entoa
Ao pôr do sol
E no arrebol
Duma manhã
Fresca e louçã;
No doce canto
Cheio de encanto
Que eu amo tanto
Soletra — Elisa.
E a mansa brisa
Que beija as flores
Falando amores,
E seus odores
Trazer-nos vem,
Diz-me tambem
Mas muito a medo,
Quase em segredo,
Que — Elisa é bela.
E mesmo a estrela
Que em noite escura
No céu fulgura,
Radiante e pura,

Dizer parece
Na fala muda
Que daquele anjo,
A voz d'arcanjo
Maviosa canta
Beleza tanta.
Tambem espanta
Que a mesma rosa
Que é tão vaidosa,
Conheça enfim
Coradas rosas
Bem melindrosas,
Muitas, infindas,
Nas faces lindas
Dum serafim!
E a corrente
Que brandamente,
– Quase indolente,
Por sobre o prado
Bem matizado
Já se deslisa...
Murmura — Elisa.
E o quieto lago,
Espelho mago
Que com afago
Da branca lua
A fronte nua
Mostra na sua
Face tão lisa,
Retrata — Elisa.
E minha lira
Tambem suspira:
— Elisa bela,
Dos olhos dela
Por um volver;

Em seus sorrisos
Mil paraisos
Eu sonho ver.

. . . .

Aos pés dum anjo
Um homem chora,
Perdão implora...
Ria-se o mundo,
Ria-se — embora.
E' a mulher
Que o poeta adora,
Dá-lhe seus cantos,
Risos e prantos,
E uma alma ardente.

Quando eu morrer,
Da minha campa
Na pedra lisa,
Oh! venha a brisa
Dizer — Elisa!
Que venha ela,
Meiga donzela,
Triste e chorosa
Dizer saudosa,
Em voz sentida:
— Aquí descansa
O meu cantor. —
Talvez que então
Pela sua dor
Chamando a vida
Repita — amor!

ONTEM À NOUTE (*)

Ontem, — sozinhos — eu e tu, sentados,
Nos contemplamos, quando a noite veiu:
Queixosa e mansa a viração dos prados
Beijava o rosto e te afagava o seio,
Que palpitava como — ao longe — o mar;
E lá no céu esses rubins pregados
Brilhavam menos, que teu vivo olhar!

Co'a mão nas minhas, no silêncio augusto,
Tu me falavas sem mentido susto,
E nunca a virgem, que a paixão revela,
Passou-me em sonhos tão formosa assim!
Vendo a noite tão pura e a ti tão bela.
Eu disse aos astros: — dai céu a ela!
Disse a teus olhos: — dai amor pra mim!

(*) O acadêmico Laudelino Freire, na sua coletânea de **Sonetos brasileiros,** publicou estas duas estrofes.

O BAILE !

Se junto de mim te vejo,
Abre-te a boca um bocejo,
Só pelo baile suspiras!
Deixas amor — pelas galas,
E vais ouvir pelas salas
Essas douradas mentiras!!

Tens razão! — Mais valem risos
Fingidos, desses Narcisos,
— Bonecos que a moda enfeita,
Do que a voz sincera e rude
De quem, prezando a virtude,
Os atavios rejeita.

Tens razão! — Valsa, donzela,
A mocidade é tão bela,
E a vida dura tão pouco!
No borborinho das salas,
Cercada de amor e galas,
Sê tu feliz — eu sou louco!

E quando eu seja dormido
Sem luz, sem voz, sem gemido,
No sono que a dor conforta;
Ao concertar tuas tranças,
No meio das contradanças,
Diz tu sorrindo: — "Qu'importa?...

"Era um louco, em noites belas
"Vinha fitar as estrelas
"Nas praias, co'a fronte nua!
"Chorava canções sentidas,
"E ficava horas perdidas
"Sozinho, mirando a lua!

"Tremia quando falava,
"E — pobre tonto! — chamava
"O baile — alegrias falsas!
"— Eu gosto mais dessas falas
"Que me murmuram nas salas
"No ritornelo das valsas. —"

Tens razão! — Valsa, donzela,
A mocidade é tão bela
E a vida dura tão pouco!
Pra que fez Deus as mulheres,
Pra que há na vida prazeres?
Tu tens razão... eu sou louco!

Sim, valsa; é doce a alegria,
Mas ai! que eu não veja um dia,
No meio de tantas galas,
Dos prazeres na vertigem,
A tua c'roa de virgem
Rolando no pó das salas!...

PALAVRAS A ALGUEM

Tu folgas travessa e louca
Sem ouvires meu lamento:
Sonhas jardins d'esmeralda
Nesse virgem pensamento;
Mas olha que essa grinalda
Bem pode murchá-la o vento!

Ai, que louca! Abriste o livro
Da minh'alma, livro santo,
Escrito em noites d'angústia,
Regado com muito pranto,
E... quase rasgaste as folhas
Sem entenderes o canto!

Agora corres nos charcos,
Em vez das alvas areias!...
Deleita-te a voz fingida

Dessas formosas sereias...
Mas eu te falo e te aviso:
— "Olha que tu te enlameias!" —

Tu és a pomba inocente,
Eu sou teu anjo da guarda,
Devo dizer-te baixinho:
— "Olha que a morte não tarda!
"Mariposa dos amores,
"Deixa a luz, embora arda.

"A chama seduz e brilha
"— Qual diamante entre as gazas —
"E tu no fogo maldito
"Tão descuidosa te abrasas!
"Mariposa, mariposa,
"Tu vais queimar tuas asas!"

Conchinha das lisas praias
Nasceste em alvas areias,
Não corras tu para os charcos
Arrebatada nas cheias!...
— Os teus vestidos são brancos...
Olha que tu te enlameias!...

FOLHA NEGRA

Sinhá,
Um outro mancebo
Alegre, poeta, e crente,
Soltara um canto fervente
De amor talvez! — de alegria,
E aqui nas folhas do livro
Deixara — amor e poesia.

Mas eu que não tenho risos
Nem alegrias tão pouco,
Nem sinto êsse fogo louco
Que a mocidade consome,
Nas brancas folhas do livro
Só posso deixar meu nome!

E' triste como um gemido,
E' vago como um lamento;
— Queixume que solta o vento
Nas pedras duma ruina,
Na hora em que o sol se apaga
E quando o lírio se inclina !...

Grito de angústia do pobre
Que sôbre as águas se afoga,
Cadaver que bóia e voga
Longe da praia querida,
Grito de quem n'agonia
— Já morto — se apega à vida !

Vozes de flauta longínqua
Que as nossas máguas aviva,
Soluço da patativa,
Queixume do mar que rola,
Cantiga em noite de lua
Cantada ao som da viola!...

Saudades do pegureiro,
Que chora o seu lar amado,
— Calado e só — recostado
Na pedra dalgum caminho...
Canção de santa doçura
Da mãe que embala o filhinho!

Meu nome!... E' simples e pobre
Mas é sombrio e traz dores,
— Grinalda de murchas flores
Que o sol queima e não consome...
— Sinhá!... das folhas do livro
E' bom tirar o meu nome!...

BERÇO E TÚMULO

NO ALBUM DUMA MENINA

Trago-te flores no meu canto amigo
— Pobre grinalda com prazer tecida
E — todo amores — deposito um beijo
Na fronte pura em que desponta a vida.

E' cedo ainda! — Quando moça fores
E percorreres dêste livro os cantos,
Talvez que eu durma solitário e mudo
— Lírio pendido a que ninguém deu prantos!

Então, meu anjo, compassiva e meiga
Depõe-me um goivo sôbre a cruz singela,
E nêsse ramo, que o sepulcro implora,
Paga-me as rosas desta infância bela!

INFÂNCIA

O' anjo da loura trança,
    Que esperança
Nos traz a brisa do sul!
— Correm brisas das montanhas...
    Vê se apanhas
A borboleta de azul!...

O' anjo da loura trança,
    És criança,
A vida começa a rir.
— Vive e folga descansada,
    Descuidada
Das tristezas do porvir.

O' anjo da loura trança,
    Não descansa
A primavera inda em flor;
Por isso aproveita a aurora,
    Pois agora
Tudo é riso e tudo amor.

O' anjo da loura trança,
    A dor lança
Em nossa alma agro descrer.
— Que não encontres na vida
    Flor querida
Senão contínuo prazer.

O' anjo da loura trança,
    A onda é mansa
O céu é lindo docel;
E sôbre o mar tão dormente,
    Docemente
Deixa correr teu batel.

O' anjo da loura trança,
    Que esperança
Nos traz a brisa do sul!...
— Correm brisas das montanhas
    Vê se apanhas
A borboleta de azul!...

A UMA PLATÉIA

O cedro foi planta um dia,
Viço e fôrça o arbusto cria,
Da vergôntea nasce o galho;
E a flor para ter mais vida,
Para ser — rosa querida —
Carece as gotas de orvalho.

Com o talento é o mesmo:
Quando tímido êle adeja
— Qual ave que se espaneja —
Como a flor, também precisa
Em vez do sôpro da brisa
O sôpro da simpatia
Que lhe adoce o amargores,
Para em horas de cansaço
Na estrada que vai trilhando
Encontrar de quando em quando
Por entre os espinhos — flores.
E vós que acabais de ouví-lo,
A suspirar nêsse trilo
No seu gorgeio primeiro;
Vós, que vistes seu começo,
Dai-lhe essas palmas de apreço,
Que é artista e.... brasileiro!

NO TÚMULO DUM MENINO

Um anjo dorme aqui: na aurora apenas,
Disse adeus ao brilhar das açucenas
Sem ter da vida alevantado o véu.
— Rosa tocada do cruel granizo —
Cedo finou-se e no infantil sorriso
Passou do berço pra brincar no céu!

A J. J. C. MACEDO JÚNIOR

Poète, prends ta lire; aigle, ouvre ta jaune aile:
Étoile, étoile, leve-toi !

V. Hugo.

Como o índio a saudar o sol nascente,
Co'o sorriso nos lábios, franco e ledo
Aperto a tua mão:
Cantor das açucenas, crê-me agora,
Êste canto que a lira balbucia...
E' pobre; mas de irmão!

Quando se sente como eu sinto e sôfro,
A mente ferve e o coração palpita
De glórias e de amor:
Se ouço Artur ao piano, eu me extasio,
Mas ouvindo teus hinos me arrebato
E pasmo ante o cantor!

Na juventude, no florir dos anos,
Não sei que vozes nos entornam n'alma
Canções de querubim !
Uns perdem, como eu, cedo os verdores,
Mas outros crescem no primor das graças
E tu serás assim!

O' mocidade, como és bela e rica !
Hinos de amores nêste sec'lo bruto!
Louvor ao menestrel!
Palmas a ti, cantor das açucenas!
Quatorze primaveras nessa fronte
Semelham-te um laurel !

Quando tão moço, no raiar da vida,
Já doce cantas como o doce aroma
Das lânguidas cecêns,
Podes, criança, erguer a fronte altiva !
Como André-Chénier, no crânio augusto
Alguma cousa tens!

Não desmintas, irmãos, êste profeta;
Sibarita indolente, sôbre rosas
Não queiras tu dormir,
Se ao longe já te brilha amiga estrela,
Aproveita o talento — estuda e pensa —
E' belo o teu porvir !

Não faças como nós; na infância apenas
Solta poeta o gorgear de amores,
Que é doce o teu cantar.
Seja a vida pra ti só riso e galas,
E adormeças a cismar quimeras,
Da noite no luar.

Não faças como nós; não desças louco
A buscar sensações na bruta orgia
Das longas saturnais;
Se a lama impura salpicar-te as penas,
Sacode as asas, minha pomba casta,
E foge dos pardais.

Não manches, meu poeta, as vestes brancas.
No mundo infame, mirra-se a grinalda ....
E vão-se as ilusões!
A crença se desbota e o nauta chora
Desanimado no vai-vem teimoso
Dos grossos vagalhões !

Foge do canto da gentil sereia,
Que engana com sorriso de feitiços
— Tão pálida Raquel!
Não encostes na taça os lábios sôfregos...
O vaso queima e beberás nos risos
Da amargura o fel!

Conserva na tua alma a virgindade,
E tenha o coração na rica aurora
Das rosas o matiz;
Se a donzela cuspir nos teus amores
Chora perdida essa ilusão primeira...
Mas vive e sê feliz!

Se a dor for grande não te vergues fraco.
Oh! não escondas no sepulcro a fronte
Aos raios dêste sol;
Não vás como Azevedo — o pobre gênio —
Embrulhar-te sem dó na flor dos anos
Da morte no lençol!

E vive e canta e ama esta natúra,
A pátria, o céu azul, o mar sereno,
A veiga que seduz;
E possa, meu poeta, essa existência
Ser um lindo vergel todo banhado
De aromas e de luz!

Oh! canta e canta sempre! — esses teus hinos
Eu sei, terão no céu ecos mais santos,
Que a terra não dará;
Oh! canta! é doce ao triste que soluça
Ouvir saudoso no cair da tarde
A voz do sabiá!

Oh! canta! e que teus hinos de esperança
Despertem dêste mundo de misérias
A estúpida mudez!
E dos prelúdios dessa lira ingênua
Em poucos anos surgirá brilhante
Millevoye — talvez!

UMA HISTÓRIA

A brisa dizia à rosa:
— "Dá, formosa,
Dá-me, linda, o teu amor;
Deixa eu dormir no teu seio
Sem receio,
Sem receio, minha flor!

De tarde virei da selva
Sôbre a relva
Os meus suspiros te dar,
E de noite na corrente
Mansamente,
Mansamente te embalar!"

E a rosa dizia à brisa:
— "Não precisa
Meu seio dos beijos teus;
Não te adoro... és inconstante...
Outro amante,
Outro amante aos sonhos meus!

Tu passas de noite e dia
Sem poesia
A repetir-me os teus ais;

Não te adoro... quero o Norte
Que é mais forte,
Que é mais forte e eu amo mais!" —

No outro dia a pobre rosa
Tão vaidosa
No hastil se debruçou; ....
Pobre dela! — Teve a morte
Porque o Norte,
Porque o Norte a desfolhou!...

POIS NÃO E' ?!

Ver cair o cedro anoso
Que campeava na serra,
Ver frio baixar à terra
O pobre velho bondoso,
Que procurando repouso
Tropeçou na sepultura;
E' triste, sim, é verdade,
Mas não tão grande a saudade,
Nem a dor tão funda e dura,
Pois que ao velho e ao cedro altivo
Partido à voz da procela,
No mundo — jardim lascivo —
A vida foi longa e bela.

Mas ver a rosa do prado
Que à aurora deu cor e vida,
De manhã — flor do valado,
De tarde — rosa pendida!...
Mas ver a pobre mangueira
Na primavera primeira

Crescendo tôda enfeitada
De folhas, perfume e flor,
Ouvindo o canto de amor
No sôpro da viração;
Mas vê-la depois lascada
Em duas cair no chão !...

Mas ver o pobre mancebo
Em quem a seiva reluz,
No sonho cândido e puro
Nas glórias do seu futuro
Dourando a vida de luz;
Mas vê-lo quando a sua alma
Ao som d'ignota harmonia
Se derramava em poesia;
Quando junto da donzela
— Cativo dos olhos dela —
Na voz que balbuciava
De amores falava a mêdo;
Quando o peito transbordava
De crenças, de amor, de fé,
Vê-lo finar-se tão cedo,
Como as vozes dum segredo...
E' dor de mais — pois não é ?!

NA ESTRADA

CENA CONTEMPORANEA

Eu vi o pobre velho esfarrapado
— Cabeça alva — sentado, pensativo,
Dum carvalho ao pé;
Esmolava na pedra dum caminho,
Sem família, sem pão, sem lar, sem ninho,
E rico só de fé!

Era de tarde; ao toque do mosteiro
Seu lábio a murmurar rezava baixo,
Ao lado o seu bordão;
E o sol, no raio extremo, lhe dourava
Sobre a fronte senil a dupla c'roa
De pobre e de ancião!

E o homem de metal vinha sorrindo
Contando ao companheiro os gordos lucros
Na usura de judeus;
O mendigo estendeu a mão mirrada,
E pediu-lhe na voz entrecortada:
— Uma esmola por Deus!

O homem de metal embevecido
Em sonhos de milhões, por junto à pedra
Sem responder, passou!
O pobre recolheu a mão vazia...
O anjo tutelar velou seu rosto,
Mas — Satanaz folgou!

NO JARDIM

CENA DOMÉSTICA

Tête sacrée! enfant aux cheveux blonds!

V. Hugo.

Ela estava sentada em meus joelhos
E brincava comigo — o anjo louro,
E passando as mãozinhas no meu rosto
Sacudiu rindo os seus cabelos de ouro.

E eu, fitando-a, abençoava a vida!
Feliz sorvia nesse olhar suave
Todo o perfume dessa flor da infância,
Ouvia alegre o gazear dessa ave!

Depois, a borboleta da campina
Toda azul — com os olhos grandes dela
A doudejar gentil passou bem junto,
E beijou-lhe da face a rosa bela.

"— Oh! como é linda! disse o louro anjinho
No doce acento da virgínia fala,
Mamãe me ralha se eu ficar cansada
Mas — dizia a correr — hei de apanhá-la!"

Eu segui-a chamando-a, e ela rindo
Mais corria gentil por entre as flores,
E a — flor dos ares — abaixando o vôo
Mostrava as asas de brilhantes cores.

Iam, vinham, à roda das acácias,
Brincavam no rosal, nas violetas,
E eu de longe dizia: — "— Que doidinhas!
Meu Deus! meu Deus! são duas borboletas!..."

CLARA

Não sabes, Clara, que pena
Eu teria se — morena
Tu fosses em vez de clara!

Talvez... Quem sabe? não digo...
Mas refletindo comigo
Talvez nem tanto te amara!

A tua cor é mimosa,
Brilha mais da face a rosa,
Tem mais graça a boca breve,
O teu sorriso é delírio...
És alva da cor do lírio,
És **clara** da cor da neve!

A morena é predileta,
Mas a **clara** é do poeta:
Assim se pintam arcanjos.
Qualquer, encantos encerra;
Mas a morena é da terra,
Enquanto a **clara** é dos anjos!

Mulher morena e ardente:
Prende o amante demente
Nos fios do seu cabelo;
— A **clara** é sempre mais fria,
Mas dá-me licença um dia
Que eu vou arder no teu gelo!

A côr morena é bonita,
Mas nada, nada te imita
Nem, mesmo sequer de leve.
— O teu sorriso é delírio...
És alva da côr do lírio,
És **clara** da côr da neve!

QUE E' — SIMPATIA

A UMA MENINA

Simpatia — é o sentimento
Que nasce num só momento,
Sincero, no coração;
São dois olhares acesos
Bem juntos. unidos, presos
Numa mágica atração.

Simpatia — são dois galhos
Banhados de bons orvalhos
Nas mangueiras do jardim;
Bem longe às vezes nascidos,
Mas que se juntam crescidos
E que se abraçam por fim.

São duas almas bem gêmeas
Que riem no mesmo riso,
Que choram nos mesmos ais;
São vozes de dois amantes,
Duas liras semelhantes,
Ou dois poemas iguais.

Simpatia — meu anjinho,
E' o canto de passarinho,
E' o doce aroma da flor;
São nuvens dum céu d'Agosto
E' o que m'inspira teu rosto...
— Simpatia — é quase amor!

NOTA — Esta, como várias outras poesias do autor, foi adaptada à música sendo, das canções, a mais cantada no interior.

A ROSA

Como ostentas sedução!
Oh! como és linda e formosa,
Como és bela e caprichosa,
Minha florinha mimosa
Em tão virginal botão!
Sobre as águas da corrente,
Que murmura mansamente
Como te inclinas contente
Ao sopro da viração!
O teu perfume tão brando
Os ares embalsamando,
De gozos me embriagando,
Como fala ao coração!
Oh! como falas de amor,
Mimosa, purpúrea flor!
Mas eu não te colho, não!...
Quando te vir outra vez,
Amanhã mesmo — talvez
Já não inspires paixão.
Já estarás desbotada,
Pálida, murcha, coitada,
Com tua fronte inclinada,
Com tuas folhas no chão!...
E eu direi: ela vivia...
Longa vida prometia
Essa rainha dum dia;
Depois veiu o furacão,
E, ai! deixou-a caída,
De suas galas despida,
Sem brilho, sem côr, sem vida!...
— Uma rosa, uma ilusão.

A FAUSTINO XAVIER DE NOVAIS

Bem vindo sejas, poeta,
A estas praias brasileiras!
Na pátria das bananeiras
As glórias não são de mais:
Bem vindo o filho do Douro!
A terra das harmonias,
Que tem Magalhães e Dias,
Bem pode saudar Novais.

Vieste a tempo, poeta,
Trazer-nos o sal da graça,
Pois c'os terrores da praça
Andava a gente a fugir:
Agora calmando o medo,
E ao bom humor dando largas
A comprimir as ilhargas
Agora vão todos rir.

Entre todos os paquetes
Que o velho mundo nos manda,
Eu sustento sem demanda
Tamar foi o mais feliz:
Os outros trazem cebolas,
Vinho em pipas, trapalhadas,
Este trouxe gargalhadas,
Sem ser fazenda em barrís.

Venha a sátira mordente,
Brilhe viva a tua veia,
Já que a cidade está cheia
Desses eternos **Maneis**:

Os barões andam às dúzias,
Como os frades nos conventos,
Comendadores aos centos,
Viscondes a pontapés.

Aproveita estes bons tipos,
Há-os aquí com fartura,
E salte a caricatura
Nos traços do teu pincel:
Ou quer na prosa ou no verso,
Dá-lhes bem severo ensino,
Ressuscita o Tolentino,
Embeleza o teu laurel.

Pinta este Rio num quadro:
As letras falsas dum lado,
As discussões do Senado,
As quebras, os trambolhões,
Mascastes roubando moças,
E lá no fundo da tela
Desenha a febre amarela,
Vida e morte aos cachações.

Oh! canta! o povo te aplaude,
E os louros pra ti são certos!
Acharás braços abertos
No meu paterno torrão:
Se és português na Europa,
Aquí, vivendo conosco
Debaixo do colmo tosco,
Aquí serás nosso irmão!

Bem vindo, bem vindo sejas,
A estas praias brasileiras!
Na pátria das bananeiras
As glórias não são de mais:

Bem vindo o filho do Douro!
A terra das harmonias,
Que tem Magalhães e Dias,
Bem pode andar Novais!

A AMIZADE

Já farto da vida, dos anos na flor,
O peito me rala pungente saudade;
Traído nas crenças, traído no amor,
Meu canto recebe, celeste amizade.

Poeta e amante, eu um mundo sonhei
Repleto de gozos, um mundo ideal,
Quando terna outrora a mulher que eu amei
A mim me jurara ser sempre leal.

O' tu, meu amigo, permite que um pouco
A fronte recline num peito de irmão;
Enxuga, se podes, o pranto do louco,
Que em paga de afetos só teve a traição!

Em tempos felizes, num dia formoso,
Na relva sentados, bem juntos, unidos,
No peito encostado seu rosto mimoso,
A ingrata me dava sorrisos... fingidos!

Ai! crente, eu beijava seus lábios corados
Com beijos ardentes, com beijos de amor,
E Laura jurava que quando apartados,
Viver não queria, morria de dor!

Partir foi preciso... abracei-a chorando...
E Laura chorou!... eu de dor solucei...
Mas tempos depois que contente voltando
Julgava beijá-la, já não a encontrei!

Mulher enganosa, quebraste essas juras
Que em prantos me deste diante de Deus!
Mas tu não te lembras que as faces impuras
Que os lábios corados roçaram os meus?!

Errante vagabundo por vales sombrios
Repleto de gozos, um mundo ideal...
Fugiram os sonhos que eu tanto afaguei,
Como flor tombada por um vendaval.

Errante vagando por vales sombrios
Co'a mente em delírio, em cruel ansiedade;
A morte buscando nas águas dos rios,
Me disse uma voz: — Inda resta a amizade!

"Esquece esse fogo, esse amor, um delírio
"Que aquí te cavava profundo jazigo;
"Ao mundo de novo, termina o martírio,
"A fonte reclina num peito de amigo".

— Ao mundo voltei, esquecí os amores
No peito apagando uma forte paixão;
Agora a amizade mitiga-me as dores,
Sê tu meu amigo, serei teu irmão!

NO ALBUM DE NICOLAU VICENTE PEREIRA

Tudo se muda com os anos:
A dor — em doce saudade,
Na velhice — a mocidade,
A crença — nos desenganos!
— Tudo se gasta e se afeia,
Tudo desmaia e se apaga
Como um nome sobre a areia
Quando cresce e corre a vaga.

Feliz quem guarda as memórias,
As lembranças mais queridas,
No livro d'alma esculpidas,
Gravadas fundas em sí!
— Essas duram; mas que vale
Um nome desconhecido,
Se há de ser logo esquecido
O nome que eu deixo aquí?

TRÊS CANTOS

Quando se brinca contente
Ao despontar da existência
Nos folguedos de inocência,
Nos delírios de criança;
A alma, que desabrocha
Alegre, cândida e pura —
Nessa continua ventura
E' todo um hino: — esperança!

Depois... na quadra ditosa,
Nos dias da juventude
Quando o peito é um alaude,
E que a fronte tem calor;
A alma que então se expande
Ardente, fogosa e bela —
Idolatrando a donzela
Soletra em trovas: — amor!

Mas quando a crença se esgota
Na taça dos desenganos,
E o lento correr dos anos
Envenena a mocidade;
Então a alma cansada
Dos belos sonhos despida,
Chorando a passada vida —
Só tem um canto: — saudade!

A J...

Minh'alma dorme, indolente
A tudo que é grande e belo,
Ai! não sei que pesadelo
Assim me pousou na mente!
Debalde agora procuro
Os sonhos do meu futuro
De amor e glórias tão cheios,
Na quadra dos devaneios
E das longas ilusões!

Mas se docil a teus dedos
O teu piano palpita,
Se derramas teus segredos

Nessa harmonia infinita,
Nessa queixa vaga e incerta,
Então minh'alma — desperta.

Desse fatal pesadelo
Sacode o manto de gelo,
Banha-se em novo fulgor,
Ama a luz que o sol exala,
E em cada nota que fala
Soletra um hino de amor.!

Mas se tambem indolente
O teu piano se cala,
Minh'alma é só languidez.
— Como a criança dormente,
Que os olhos súbito abrira,
Queixosa e triste suspira,
— E sem ti — dorme outra vez!

LEMBRANÇA

NUM ALBUM

Como o triste marinheiro
Deixa em terra uma lembrança,
Levando nalma a esperança
E a saudade que consome,
Assim nas folhas do album
Eu deixo meu pobre nome.
E se nas ondas da vida
Minha barca for perdida
E meu corpo espedaçado,
Ao ler o canto sentido
Do pobre nauta perdido,
Teus lábios dirão: — Coitado!...

POESIAS ELEGÍACAS
(ou LIVRO NEGRO)

. . . o livro
Da minh'alma, livro santo,
Escrito em noites de angústia
Regado com muito pranto.

C. de Abreu

HORAS TRISTES

Eu sinto que esta vida já me foge
Qual d'harpa o som final,
Não tenho, como o náufrago nas ondas,
Nas trevas um fanal!

Eu sofro e esta dor que me atormenta
E' um suplício atroz!
Para contá-la falta à lira cordas,
E aos lábios meus a voz!

Às vezes, no silêncio da minh'alma,
Da noite na mudez,
Eu crio na cabeça mil fantasmas,
Que aniquilo outra vez!

Doi-me ainda a boca que queimei sedento
Nas esponjas de fel,
E agora sinto no bulhar da mente
A torre de Babel!

Sou triste como o pai que as belas filhas
Viu lânguidas morrer,
E já não pousam no meu rosto pálido
Os risos do prazer!

E contudo, meu Deus! eu sou bem moço;
Devera só me rir.
E ter fé e ter crença nos amores,
Na glória e no porvir!

Eu devera folgar nesta natura
De flores e de luz,
E, mancebo, voltar-me pro futuro,
Estrela que seduz!

Agora em vez de hinos de esperança,
Dos cantos juvenis,
Tenho a sátira pungente, o riso amargo,
O canto que maldiz!

Os outros, — os felizes deste mundo,
Deleitam-se em saraus;
Eu, solitário, sofro e odeio, os homens
Pra mim são todos maus!

Eu olho e vejo... — a veiga é de esmeralda,
O céu é todo azul.
Tudo canta e sorri... só na minh'alma
O lodo dum paul!

Mas se ela — a linda flor do meu sonho,
A pálida mulher
Das minhas fantasias, dos seus lábios
Um riso, um só, me der;

Se a doce virgem pensativa e bela,
— A pudica vestal
Que eu criei numa noite de delírio
Ao som da saturnal;

Se ela vier enternecida e meiga
Sentar-se junto a mim;
Se eu ouvir sua voz mais doce e terna
Que um doce bandolim;

Se o seu lábio afagar a minha fronte,
Tão férvido vulcão!
E murmurar baixinho ao meu ouvido
As falas da paixão;

Se cair desmaiada nos meus braços
Morrendo em languidez,
De certo remoçando, alegre e louco
Sentira-me talvez!...

Talvez que eu encontrasse as alegrias
Dos tempos que lá vão,
E afogasse na luz da nova aurora
A dor do coração!

Talvez que nos meus lábios desmaiados
Brilhasse o seu sorrir,
E de novo, meu Deus, tivesse crença
Na glória e no porvir!

Talvez minh'alma ressurgisse bela
Aos raios desse sol,
E nas cordas da lira seus gorjeios
Trinasse um rouxinol!

Talvez então que eu me apegasse à vida
Com ânsia e com ardor,
E pudesse aspirando os seus perfumes
Viver do seu amor!

Para ela então seria a minha vida,
A glória, os sonhos meus;
E dissera chorando arrependido:
Bendito seja Deus! —

DORES

Há dores fundas, agonias lentas,
Dramas pungentes que ninguem consola
Ou suspeita sequer!
Máguas maiores do que a dor dum dia,
Do que a morte bebida em taça morna
De lábios de mulher!

Doces falas de amor que o vento espalha,
Juras sentidas de constância eterna
Quebradas ao nascer;
Perfídia e olvido de passados beijos...
São dores essas que o tempo cicatriza
Dos anos no volver.

Se a donzela infiel nos rasga as folhas
Do livro d'alma magoado e triste
Suspira o coração;
Mas depois outros olhos nos cativam
E loucos vamos em delírios novos
Arder noutra paixão.

Amor é o rio claro das delícias
Que atravessa o deserto, a veiga, o prado,
E o mundo todo o tem!
Que importa ao viajor que a sêde abrasa,
Que quer banhar-se nessas águas claras,
Ser aquí ou além?

A veia corre, a fonte não se estanca,
E as verdes margens não se crestam nunca
Na calma dos verões;
Ou quer na primavera, ou quer no inverno,
No doce anseio do bulir das ondas
Palpita m corações.

Não! não! a dor sem cura, a dor que mata,
E', moço ainda, aperceber na mente
A dúvida a sorrir!
E' a perda dura dum futuro inteiro
E o desfolhar sentido das coroas,
Dos sonhos do porvir!

E' ver que nos arrancam uma a uma
Das asas do talento as penas de ouro,
Que voam para Deus!
E' ver que nos apagam d'alma as crenças
E que profanam o que santo temos
Co'os riso dos ateus!

E' assistir ao desabar tremendo,
Num mesmo dia, de ilusões douradas,
Tão cândidas de fé!
E' ver sem dó a vocação torcida
Por quem devera dar-lhe alento e vida
E respeitá-la até!

E' viver, flor nascida nas montanhas,
Pra aclimar-se, apertada numa estufa
À falta de ar e luz!
E' viver, tendo n'alma o desalento,
Sem o queixume, a disfarçar as dores
Carregando uma cruz!

Oh! ninguem sabe como a dor é funda,
Quanto pranto se engole e quanta angústia,
A alma nos desfaz!
Horas há em que a voz quase blasfema...
E o suicídio nos acena ao longe
Nas longas saturnais.

Definha-se a existência a pouco e pouco,
E ao lábio descorado o riso franco
Qual dantes, já não vem;
Um véu nos cobre de mortal tristeza,
E a alma em luto, despida dos encantos,
Amor nem sonhos tem!

Murcha-se o viço do verdor dos anos,
Dorme-se moço e despertamos velho,
Sem fogo para amar!
E a fronte jovem que o pesar sombreia
Vai, reclinada sobre um colo impuro,
Dormir no lupanar!

Ergue-se a taça do festim da orgia,
Gasta-se a vida em noites de luxúria
Nos leitos dos bordeis,
E o veneno se sorve a longos tragos
Nos seios brancos e nos lábios frios
Das lânguidas Frinés!

'Squecimento! — mortalha para as dores —
Aqui na terra é a embriaguez do gozo,
A febre do prazer;
A dor se afoga no fervor dos vinhos
E no regaço das Margôs modernas
E' doce então morrer!

Depois o mundo diz: — "Que libertino!
A folgar no delírio dos alcouces
As asas empanou!" —
Como se ele, algoz das esperanças,
As crenças infantis e a vida d'alma
Não fosse quem matou!...

Oh! há dores tão fundas como o abismo,
Dramas pungentes que ninguem consola,
Ou suspeita sequer!
Dores na sombra, sem carícias d'anjo,
Sem voz de amigo, sem palavras doces,
Sem beijos de mulher!...

---

* * *

Pobre criança que te afliges tanto
Porque sou triste e se chorar me vês,
E que borrifas com teu doce pranto
Meus pobres hinos sem calor, talvez,

Deus te abençõe, querubim formoso,
Branca açucena que o paul brotou!
Teu pranto é gota de celeste gozo
Na úlcera funda que ninguem curou.

Pálido e mudo e do caminho em meio
Sentei-me à sombra sofredor e só!
Do choro a baga umedeceu-me o seio,
Da estrada a gente me cobriu de pó!

Meus tristes cantos comecei chorando,
Santas endeixas, doloridos ais...
E a turba andava! Só de vez em quando
Lânguido rosto se volvia atrás!

E louca a turba que passou sorrindo
Julgava um hino o que eu chamava um ai!
Alguem murmura: — Como o canto é lindo! —
Sorri-se um pouco e caminhando vai!

Bendito sejas, querubim de amores,
Branca açucena que o paul brotou!
Teu pranto é gota que mitiga as dores
Da úlcera funda que ninguem curou!

Há na minh'alma alguma cousa vago,
Desejos, ânsias, que explicar não sei!
Talvez — desejos — dalgum lindo lago,
— Ansias — dum mundo com que já sonhei!...

E eu sofro, ó anjo; na cruel vigília
O pensamento inda redobra a dor,
E passa linda do meu sonho a filha,
Soltas as tranças a morrer de amor!

E louco a sigo por desertos mares,
Por doces veigas, por um céu de azul;
Pouso com ela nos gentis palmares,
À beira d'água, nos vergeis do sul!...

E a virgem foge... — e a visão se perde
Por outros climas, noutro céu de luz;
E eu — desperto do meu sonho verde —
Acordo e choro carregando a cruz!

Pobre poeta! na manhã da vida
Nem flores tenho, nem prazer tambem!
— Roto mendigo que não tem guarida —
Tímido espreito quando a noite vem!

Bendito sejas, querubim de amores,
Branca açucena que o paul brotou!
Teu doce pranto me acalenta as dores
Da úlcera funda que ninguem curou!

A minha vida era areal despido,
De relva e flor! Na estação louçã,
Tu foste o lírio que nasceu, querido,
Entre a neblina de gentil manhã.

Em ondas mortas meu batel dormia,
Chorava o pano a viração sutil;
Mas veiu o vento no correr do dia
E, leve, o bote resvalou no anil.

Eu era a flor do escalavrado galho
Que a tempestade no passar quebrou,
Tu foste a gota de bendito orvalho,
E a flor pendida a reviver tornou.

Teu rosto puro restitue-me a calma,
Ergue-me as crenças, que já vejo em pé;
E teus olhares me derramam nalma
Doces consolos e orações de fé.

Não serei triste; se te ouvir a fala,
Tremo e palpito como treme o mar;
E a nota doce, que teu lábio exala,
Virá sentida ao coração parar.

Suspenso e mudo no mais casto enlevo
Direi meus hinos c'os suspiros teus,
E a ti, meu anjo, a quem a vida devo,
Hei-de adorar-te como adoro a Deus!

FRAGMENTO

....

O mundo é uma mentira, a glória — fumo,
A morte — um beijo, e esta vida um sonho
Pesado ou doce, que se esvai na campa!

O homem nasce, cresce, alegre e crente
Entra no mundo c'o sorrir nos lábios,
Traz os perfumes que lhe dera o berço,
Veste-se belo d'ilusões douradas,
Canta, suspira, crê, sente esperanças,
E um dia o vendaval do desengano
Varre-lhe as flores do jardim da vida
E nu das vestes que lhe dera o berço
Treme de frio ao vento do infortúnio!
Depois — louco sublime — êle se engana,
Tenta enganar-se pra curar as máguas,
Cria fantasmas na cabeça em fogo,
De novo atira o seu batel nas ondas,
Trabalha, luta e se afadiga embalde
Até que a morte lhe desmancha os sonhos.

Pobre insensato — quer achar por fôrça
Pérola fina em lodaçal imundo!
— Menino louro que se cansa e mata
Atrás da borboleta que travessa
Nas moitas do mangal voa e se perde!...
....
....

ANJO!

Sub umbra alarum tuarum.

Eu era a flor desfolhada
Dos vendavais ao correr;
Tu foste a gota dourada,
E o lírio pôde viver.

Poeta, dormia pálido
No meu sepulcro, bem só;
Tu disseste: — Ergue-te, Lázaro! —
E o morto surgiu do pó!

Eu era sombrio e triste...
Contente minh'alma é;
E duvidava... sorriste,
Já no amor eu tenho fé.

A fronte, que ardia em brasas,
A seus delírios pôs fim
Sentindo o rigor de asas,
O sôpro dum querubim.

Um anjo veio e deu vida
Ao peito de amores nu:
Minh'alma agora remida
Adora o anjo — que és tu!

MINHA ALMA E' TRISTE

Mon coeur est plein — je veux pleurer.

Lamartine.

Minh'alma é triste como a rôla aflita
Que o bosque acorda desde o albor da aurora
E em doce arrulo que o soluço imita
O morto espôso gemedora chora.

E, como a rôla que perdeu o espôso,
Minh'alma chora as ilusões perdidas
E no seu livro de fanado gôzo
Relê as fôlhas que já foram lidas.

E como notas de chorosa endeixa
Seu pobre canto com a dor desmaia,
E seus gemidos são iguais à queixa
Que a vaga solta quando beija a praia.

Como a criança que banhada em prantos
Procura o brinco que levou-lhe o rio,
Minh'alma quer ressuscitar nos cantos
Um só dos lírios que murchou o estio.

Dizem que há gozos nas mundanas galas,
Mas eu não sei em que o prazer consiste.
— Ou só no campo, ou no rumor das salas,
Não sei porque — mas a minh'alma é triste.

Minh'alma é triste como a voz do sino
Carpindo o morto sôbre a lage fria;
E doce e grave qual no templo um hino,
Ou como a prece ao desmaiar do dia.

Se passa um bote com as velas soltas,
Minh'alma o segue n'amplidão dos mares;
E longas horas acompanha as voltas
Das andorinhas recortando os ares.

Às vêzes, louca, num cismar perdida,
Minh'alma triste vai vagando à toa,
Bem como a fôlha que do sul batida
Boia nas águas de gentil lagoa.

E como a rôla que em sentida queixa
O bosque acorda desde o albor da aurora,
Minh'alma em notas de chorosa endeixa
Lamenta os sonhos que já tive outrora.

Dizem que há gozos no correr dos anos!
Só eu não sei em que o prazer consiste.
— Pobre ludíbrio de cruéis enganos,
Perdí os risos — a minh'alma é triste!

Minh'alma é triste como a flor que morre
Pendida à beira do riacho ingrato;
Nem beijos dá-lhe a viração que corre,
Nem doce canto o sabiá do mato;

E como a flor que solitária pende
Sem ter carícias no voar da brisa,
Minh'alma murcha, mas ninguém entende
Que a pobrezinha só de amor precisa!

Amei outrora com amor bem santo
Os negros olhos de gentil donzela,
Mas dessa fronte de sublime encanto
Outro tirou a virginal capela.

Oh! quantas vêzes a prendi nos braços!
Que o diga e fale o laranjal florido!
Se mão de ferro espedaçou dois laços,
Ambos chorámos, mas num só gemido!

Dizem que há gozos no viver d'amôres,
Só eu não sei em que o prazer consiste!
— Eu vejo o mundo na estação das flores,
Tudo sorrí — mas a minh'alma é triste!

Minh'alma é triste como o grito agudo
Das arapongas no sertão deserto;
E como o nauta sobre o mar sanhudo,
Longe da praia que julgou tão perto!

A mocidade no sonhar florida
Em mim foi beijo de lasciva virgem:
— Pulava o sangue e me fervia a vida,
Ardendo a fronte em bacanal vertigem.

De tanto fogo tinha a mente cheia!...
No afã da glória me atirei com ânsia...
E, perto ou longe, quis beijar a s'reia
Que em doce canto me atraiu na infância.

Ai! loucos sonhos de mancebo ardente!
Esp'ranças altas... Ei-las já tão rasas!...
— Pombo selvagem, quis voar contente...
Feriu-me a bala no bater das asas!

Dizem que há gozos no correr da vida...
Só eu não sei em que o prazer consiste!
— No amor, na glória, na mundana lida,
Foram-se as flores — a minh'alma é triste!

A MORTE DE AFONSO MESSEDER

ESTUDANTE DA ESCOLA CENTRAL

Who has not lost a friend?...

E' triste ver a flor que desabrocha
Ou quer no prado, ou na deserta rocha,
Pender no fraco hastil!
E' bem triste dos anos nos verdores
Morrer mancebo, no brotar das flores,
Na quadra juvenil!

Meu Deus! tu que és tão bom e tão clemente
Pra que apagas, Senhor, a chama ardente
Num crânio de vulcão?
Pra que poupas o cedro já vetusto,
E, sem dó, vais ferir o pobre arbusto
Às vêzes no embrião?!...

Pois não fôra melhor vivesse a planta
Cujo perfume a solidão encanta
No sossêgo do val?...
— Não veriamos nós neste martírio
Desfalecer tão belo o pobre lírio
Pendido ao vendaval!

Pobre mancebo! Nesse peito nobre
E nessa fronte que o sepulcro cobre,
Era fundo o sentir!
Agora solitário tu descansas,
E contigo esse mundo de esperanças
Tão rico de porvir!

Oh! lamentemos essa pura estrêla
Sumida, como no horizonte a vela
Nas névoas da manhã!
A sepultura foi há pouco aberta...
Mas o dormente já se não desperta
À voz de sua irmã!

E' mudo aquêle a quem irmão chamamos,
E a mão que tantas vêzes apertamos
Agora é fria já!
Não mais nos brincos êsse rosto amigo,
Hoje escondido no fatal jazigo,
Conosco sorrirá!

Mancebo, atrás da glória que sorria,
Sonhou grandezas para a pátria um dia,
E a ela os sonhos deu;
Mártir do estudo, na ciência ingrata.
Bebeu nos livros êsse fel que mata,
E pobre adormeceu!

Era bem cedo! — na manhã da vida
Chegar não pôde à terra prometida
Que ao longe lhe sorriu!

Embora desta estrada nos espinhos
Feliz tivesse os maternais carinhos,
Cansado sucumbiu!

Era bem cedo! — Tanta glória ainda
O esperava, meu Deus, na aurora linda
Que a vida lhe dourou!
Pobre mancebo! no fervor dessa alma
Ao colher do futuro a verde palma,
Na cova tropeçou!

Dorme pois! Sôbre a campa mal cerrada,
Nós, que sabemos que esta vida é nada,
Choramos um irmão;
Aqui trazemos goivos da saudade,
E d'envolta c'os prantos da amizade
As vozes da oração!

Eu que fui teu amigo inda na infância,
Quando as almas das rosas na fragrância
Bendizem só a Deus —
Hoje venho nas cordas do alaúde
Sentido e grave, à beira do ataúde,
Dizer-te o extremo adeus!

Descansa! se no céu há luz mais pura.
Decerto gozarás nessa ventura
Do justo a placidez!
Se há doces sonhos no viver celeste,
Dorme tranquilo à sombra do cipreste...
— Não tarda a minha vez!

NO LEITO

M...

Se eu morresse amanhã!

A. de Azevedo.

Eu sofro; — o corpo padece
E minh'alma se estremece
Ouvindo o dobrar dum sino!
Quem sabe? — a vida fenece
Como a lâmpada no templo
Ou como a nota dum hino!

A febre me queima a fronte
E dos túmulos a aragem
Roçou-me a pálida face:
Mas no delírio e na febre
Sempre teu rosto contemplo,
E serena a tua imagem
Vela à minha cabeceira,
Rodeada de poesia,
Tão bela como no dia
Em que vi-te a vez primeira!

Teu riso a febre me acalma;
— Ergue-te viva a minh'alma
Sorvendo a vida em teus lábios
Como o saibo dos licores;
E na voz, que tôda amôres,
Como um bálsamo bendito,
Ouvindo-a eu, pobre, palpito,
Sou feliz e esqueço as dores.

Se a morte colher-me em breve,
Pede ao vento que te leve
O meu suspiro final.
— Será queixoso e sentido,
Como da rôla o gemido,
Nas moitas do laranjal.

Quisera a vida mais longa
Se mais longa Deus ma dera,
Porque é linda a primavera,
Porque é doce este arrebol,
Porque é linda a flor dos anos
Banhada da luz do sol!
Mas se Deus cortar-me os dias
No meio das melodias,
Dos sonhos da mocidade,
Minh'alma tranqüila e pura
À beira da sepultura
Sorrirá à eternidade.

Tenho pena... sou tão moço!
A vida tem tanto enlevo!
Oh! que saudades que levo
De tudo que eu tanto amei!
— Adeus oh! sonhos dourados.
Adeus oh! noites formosas,
Adeus futuro de rosas
Que nos meus sonhos criei!

Ao menos, nesse momento
Em que o letargo nos vem
Na hora do passamento,
No suspirar da agonia
Terei a fronte já fria
No colo de minha mãe!
. . . .

Mas eu bendigo estas dores,
Mas eu abençôo o leito
Que tantas máguas me dá,
Se me jurares, querida,
Que meu nome no teu peito,
Morto embora, — viverá!
— Que às vezes na cruz singela
Tu irás pálida e bela
Desfolhar uma saudade!
— Que de noite, ao teu piano,
Na voz que a paixão desata,
Chorarás a — **Traviata**
Que eu dantes amava tanto
Nas ânsias de tanto amor!
— E que darás compassiva
Uma gota do teu pranto
À memória morta ou viva
Do teu pobre sonhador!

Bendita, bendita sejas,
Se nas notas benfazejas
Tua alma falar co'a minha
Nessa linguagem do céu
Que o pensamento adivinha!
Eu — o filho da poesia —
Dormirei no meu sepulcro,
Embalado em harmonia
Ao som do piano teu!

Que tem a morte de feia?!
— Branca virgem dos amôres,
Toucada de murchas flores.
Um longo sono nos traz;
E o triste que em dor anseia

Talvez morto de cansaço —
Vai dormir no teu regaço —
Como num claustro de paz!

Oh! virgem das sepulturas,
Teu beijo mata as venturas
Da terra, mas rasga o véu
Que a eternidade nos vela;
E nós — os filhos do êrro
Libertos dêste destêrro,
Vamos contigo, donzela,
No branco leito de pedra,
Onde a miséria não medra,
Sonhar os sonhos do céu!...
Há tantas rosas nas campas
Tanta rama nos ciprestes!
Tanta dor nas brancas vestes!
Tanta doçura ao luar!
— Que ali o morto poeta
Nos seus íntimos segredos,
À sombra dos arvoredos
Pode viver a sonhar!

Assim, — se amanhã, se logo,
Sentires na face amada
Passar um sôpro de fogo
Que te queime o coração,
E uma mão fria e gelada
Comprimir a tua mão
Frisando os cabelos teus;
— Não tenhas tu vãos temores,
Pois é minh'alma, querida,
Que ao desprender-se da vida
— Tôda saudade e amôres —
Vai dizer-te o extremo — adeus!...

RISOS

Ri, criança. a vida é curta,
O sonho dura um instante.
Depois... o cipreste esguio
Mostra a cova ao viandante.

A vida é triste — quem nega?
— Nem vale a pena dizê-lo.
Deus a parte entre seus dedos
Qual um fio de cabelo!

Como o dia, a nossa vida
Na aurora — é tôda venturas,
De tarde — doce tristeza,
De noite — sombras escuras!

A velhice tem gemidos,
— A dor das visões passadas —
A mocidade — queixumes,
Só a infância tem risadas!

Ri, criança, a vida é curta,
O sonho dura um instante.
Depois... o cipreste esguio
Mostra a cova ao viandante!

A VIDA

Nunca vistes uma rosa,
Primeiro abrindo mimosa
O seu botão purpurino,
Mostrando depois, vaidosa,
Aos vivos raios do sol
Do rocio matutino
Essas gotas tão brilhantes
Que semelham diamantes?

Não vistes depois a rosa
Tôda garrida e louçã,
De Abril em fresca manhã
Pompeando lindas côres,
Pelo zéfiro embalada,
Sôbre a linfa debruçada
Formosa falando amôres?

Não vistes depois à tarde
E quando o sol já não arde,
Como a flor está tão triste,
Co'a bela fronte pendente,
E como a tépida aragem,
Que sussurra na folhagem,
A vem beijar docemente?

E depois, no outro dia,
Essa flor que se sorria
Cheia de graça e de vida,
Não a vistes vós pendida,
Co'a viva côr já perdida?
E que a brisa caprichosa
Dessa tão pálida rosa,

Uma a uma as fôlhas tôdas
As arrancava sorrindo,
E no regato sonoro
Assim as ia lançando,
E que essas fôlhas boiando,
Com a corrente fugindo,
Lá ao longe se perdiam?...

Olhai, assim é a vida!
Na infância somos felizes,
Temos da rosa os matizes,
Quando se abre em botão;

E as puras gotas de orvalho
Que a rosa no seio tem,
Não sabeis vós que elas são
Os prantos de nossa mãe,
Que caem silenciosos,
Eloquentes, amorosos,
Quando no berço deitados,
Com nossos olhos cerrados,
Elas nos vem contemplar
Como um anjo que o bom Deus
Enviasse lá dos céus
P'ra o nosso sono velar?...

A nossa infância querida
— A primavera da vida,
Quando alegres e contentes,
Descuidosos, inocentes,
Nós saltamos as correntes,
Nós trepamos às colinas,
Nós corremos pelo prado,
Colhendo as frescas boninas
Que vegetam no valado,
Comparai-a vós à rosa
Corada e bela a florir
Quando as auras vespertinas
D'afagos a vêm cobrir.

Esse sol que anima a flor
De tarde, no vale ameno,
Por entre os choupos anosos,
E' esse brilho sereno,
Cheio de mago fulgor,
Dos olhos negros, formosos,
Da virgem de nossos sonhos,
Quando seus lábios risonhos
Nos dizem falas d'amor.

E as fôlhas que a rosa deixa
Do seu seio desprendidas,
São as nossas ilusões,
Que pouco a pouco perdidas,
Vão uma a uma caindo,
E na corrente dos anos
Coitadas, vão-se sumindo!

Assim como a linda rosa,
Murcha e cai no seu rosal,
Não resistindo — mimosa,
Ao sôpro do vendaval,
A vida também se extingue
Quando estala o coração
Pela perda de uns amôres!...
— A derradeira ilusão!...

OS MEUS SONHOS

Como era belo esse tempo
De tão doces ilusões,
De tardes belas, amenas,
De noites sempre serenas,
De estrelas vivas e puras;
Quadra de riso e de flores,
Em que eu sonhava venturas,
Em que eu cuidava de amores!

Ah! minha infância saudosa,
Que me mostravas à mente,
Nesse viver inocente,
Tão verdejante e florida

A longa estrada da vida,
Que é toda tão escabrosa!
E eu, inexperta criança,
Que tinha fé no porvir
Por ver o mar em bonança
E minha mãe a sorrir!...
E julguei que era verdade!
E acreditava nos sonhos
Feiticeiros e risonhos!...
Ilusões da mocidade
Cheias de terna magia,
Nascem douradas e belas
Como o fulgor das estrelas...
E morrem no mesmo dia!...

Sonhei que o mundo era um prado
Lindo, lindo, matizado
Das flores do meu jardim;
Sonhei a vida uma estrada
De gozos entrelaçada,
De gozos que não têm fim.

Esses sonhos de magia
Criei-os na fantasia
À meiga luz do luar,
E quando conta segredos
Na rama dos arvoredos
A brisa que beija o mar.

Sonhei-os assim brilhantes
Naqueles doces instantes
De silêncio e de oração;
Quando as estrelas seduzem
E quando os lábios traduzem
As vozes do coração.

Sobre o peito reclinada
Eu tinha a fronte inspirada
Duma formosa mulher,
E fraco um raio da lua
Beijando-lhe a face nua
Dava-lhe brilho e poder.

De certo a lua serena
Um rosto como o de Helena
Nunca, nunca iluminou;
E nunca ouvirei na vida
Voz mais terna e mais sentida
Dizer-me: — Sou tua, sou!

Numa noite mui fagueira,
Como visão prazenteira,
Por entre beijos de amor,
Eu vi surgir uma estrela
Linda, linda, muito bela,
Com doce e meigo fulgor.

Na perdida fantasia,
De luz, de amor, de alegria
Abrilhantei o porvir;
E segui, qual mariposa,
Aquela chama formosa,
Que eu via ao longe luzir!

Mentira, tudo mentira!
Os meus sonhos... ilusões!
As cordas da minha lira

Já não soletram canções.
A mente já não delira,
E se louco num momento
Revolvo no pensamento
Esse passado de amores...
Se triste o peito suspira...
Eu ouço um eco na terra
Bradar-me com voz que aterra:
Mentira, tudo mentira!

Foram sonhos. Eram lindos,
Eram lindos... mas passaram
E desses sonhos já findos
Só lembranças me ficaram.
Só lembranças bem saudosas
Dessas noites tão formosas
Em que os sonhos despertaram
Só lembranças desses sonhos,
Desses sonhos que passaram!...

Hoje, vivo, se é que vida
Andar co'a fronte pendida
Calado e triste a cismar;
E nessa imensa tristeza,
Nessas horas de incerteza
Em que adormece o luar,
Em que toda a natureza
E' silêncio, amor e paz,
Eu sinto a alma saudosa
Perguntar com voz queixosa:
— Lindos sonhos, onde estais?!
Então um eco medonho
Responde por cada sonho
C'um gemido... e nada mais!

A minha sina cumpriu-se,
A sina que Deus me deu!
O eco responde triste:
A linda estrela — sumiu-se!
A tua Helena — morreu!

MEU LIVRO NEGRO

A GONÇALVES BRAGA

Eu sei que é santo e bom e de almas grandes
Dar às glórias um hino. a Deus um canto,
Ao culpado perdão;
Dar ao vício conselho, ao cego luzes,
À velhice respeito, arrimo à infância
E aos mendigos o pão!

Obrigado! obrigado! eu beijo a esmola
Do teu canto de fé! Mas não te iludas,
Não te posso seguir.
Eu me assento nas pedras do caminho
E pergunto aos que passam: — "Inda é longe,
Muito longe o porvir?"

Obrigado! obrigado! tu respondes;
E queres que eu descubra no horizonte
O que é nuvem talvez!
Obrigado. cantor! rico de crenças,
Que repartes comigo os teus vestidos,
Pra cobrir-me a nudez!

Levanta à pressa a tenda do descanso,
E, como não prossigo, eu te convido
À porta do meu lar.

Depois que eu te disser a lenda triste
Do meu livro sem luz, do — Livro Negro,
Tu podes caminhar.

Escuta: — Tu que tens na voz perfumes,
Chamas sempre ao meu canto — primaveras,
Aos goivos — um jardim!
— Talvez que na charneca, por descuido,
Entre os juncos brotasse beira d'água
O tronco dum jasmim!

E' verdade, na mente deslumbrada
Borbulhou noutro tempo alguma cousa
De vago e de ideal!
Eram centelhas! mas dormindo às soltas,
Eu deixei consumir-se fogo santo,
— Estúpida vestal!

Agora em vão procuro aqueles cantos,
As rosas do jardim e o sonho amigo,
Que tanto me embalou!
A minha alma, deserta de esperanças,
Já não pode sonhar! Meu Deus. é tarde!
A vida já passou!

Pra mim, que me perdí no desencanto,
Não tem o pátrio céu estrelas vivas,
Nem lírios as manhãs.
Eu por cada ilusão viví dez anos!
O fruto da ilusão nasceu precoce...
Sou moço e tenho cãs!

Ai! bem cedo o tufão despiu-me os galhos!
E os galhos todos nus ao céu se elevam
Na súplica de dó!

No campo a primavera estende os mimos,
Tudo é verde no monte e na colina...
Mais ai! no inverno eu só!

Na testa trago a ruga prematura,
E do lábio na prega desdenhosa
Não há ódio, mas fel!
— Ruinas dum castelo não completo,
Aquí descubro um troço de coluna,
— Mais longe um capitel!

Houve galas contudo no edifício
Em dias venturosos de banquetes,
Por noites de festim!
As ogivas tremiam com mil luzes,
O parque tinha caça, a sala — amores,
Perfumes — o jardim!

Cuspiram-me na fronte e na grinalda,
Vergaram-me a cabeça ao despotismo,
Às garras da opressão;
E ao contacto do mármore e do gelo
A lira emudeceu, penderam flores,
Extinguiu-se o vulcão!

Por cada canto eu tive ofensas duras,
Pelos sonhos — o escárneo que apunhala,
Insultos por cantar!
Deitaram-me na taça o fel que amarga,
Mas a raça dos vis campeia impune
Porque sei perdoar!

Obrigado! obrigado! E' doce ao menos
Receber na desgraça o aperto amigo
Do abraço fraternal!

A lágrima a cair se muda em riso,
E pode a mão tecer na corda frouxa
Um hino festival!

Feliz, tu que me acenas pro futuro
— Na fronte a inspiração, nas mãos a lira,
E no seu peito o ardor!
Adeus! eu não te sigo, é longa a estrada,
Assusta-me a tormenta e a noite escura...
Sou fraco lutador!

Podes ir; eu te abraço e te abençôo!
Volta e traze contigo as verdes palmas
Que o futuro te der:
Adeus! eu não te sigo... — eu não perjuro...
A glória é uma mulher, e, tu bem sabes,
Eu amo outra mulher!

A glória, quanto a mim, é a Messalina
Que vende sem pudor a face e os beijos
Na praça, à luz do sol!
Ama um dia e abandona o favorito
No leito do hospital, por cama — a vala,
Por mortalha — o lençol!

Não quero a glória, não! a glória mente,
O fogo queima, a cicatriz não fecha,
E sangra o coração!
Não quero a glória: — eu peço ao céu sossego,
Um bocado de amor, flores no campo,
E um ninho no sertão.

Lá eu posso viver na sombra escura,
Cercado das acácias perfumadas,
Sozinho e bem feliz!

Por noites de luar o sertanejo
Suspira na guitarra cantilenas
Que a lira nunca diz!

Há tristeza no choro das cascatas,
Há mistérios nas vozes das florestas,
Há silfos pelos céus!
E a mente embevecida, absorta e pasma,
Em voz baixa ergue os hinos de ventura,
E baixo adora a Deus!

Da mulher adorada a fronte santa
Sentirei no sagrado dos colóquios
Como é fundo o sentir!
Do seu amor — que é pérola sem preço —
Eu farei meu presente e meu passado,
Meu sonho e meu porvir!

A vida no deserto é lago plácido,
No mar raivoso que sacode a escuma
E que sepulta a nau!
— Eu lá serei feliz; das murchas palmas
Apenas guardarei lembrança vaga
Como de um sonho mau.

Creio em Deus, e meu lábio inda murmura
Essa mesma oração rezada à noite
Pela quadra infantil;
Beijo a mão que embalou meu berço quente.
Creio no amigo; sei que o amor é santo.
E sei que a glória é vil!

Bem vês, eu não me animo às vozes tuas!
Ai! é tarde, cantor! não posso... é tarde,
Não me embala a ilusão!

Retomo a lira, balbucio um canto,
Sacudo o gelo pra dizer-te d'alma:
"Oh! obrigado, irmão!"

Eu da porta da tenda te abençôo!
Podes ir, bom romeiro do progresso...
Eu deito-me a dormir!
O caminho tem neve, o lar tem fogo,
— Oh! o amor da mulher por quem se chora
Vale mais que o porvir!

ÚLTIMA FOLHA

Meu Deus! Meu Pai! Se o filho da desgraça
Tem jus um dia ao galardão remoto,
Ouve estas preces e me cumpre o voto
— A mim que bebo do absinto a taça!

— "Feliz serás se como eu sofreres,
"Dar-te-ei o céu em recompensa ao pranto" —
Vós o dissestes — Eu padeço tanto!...
Que novos transes preparar me queres?

Tudo me roubam meus crueis tiranos:
Amor, família, f'licidade, tudo!...
Palmas da glória, meus laureis do estudo,
Fogo do gênio, aspiração dos anos!

Mas o teu filho já se não rebela
Por tal castigo, pelas mágoas duras;
— Minh'alma of'reço às provações futuras...
Venha o martírio... mas — perdão pra ela!..

A doce virgem se assemelha às flores....
O vento a quebra no seu verde ninho,
— Velai ao menos pelo pobre anjinho.
— Pagai-lhe em gozo o que me dais em dores!

PÁGINAS EM PROSA

* * *

I

A VIRGEM LOURA

(PÁGINAS DO CORAÇÃO)

Como é poética e bela a quadra da infância!

Nessa primavera da vida, como na primavera do ano, tudo que nos cerca são flores e perfumes, e tudo que vemos fala e nos sorri.

Os campos viçosos e floridos são o nosso recreio, as borboletas e os colibrs nos seduzem, o gorgeio dos passarinhos nos deleita e a tempestade que passa no céu, bramindo na voz do trovão, nos assusta e faz-nos esconder a fronte no seio maternal.

Como é poética e bela a quadra da infância! E que saudade, que funda saudade não temos desse tempo, quando a nossa alma cheia de decepções e despoetizada pelas misérias da vida se recorda melancólica do passado!

Pelo menos a mim aconteceu-me isso; toda a vez que me lembro dos meus belos dias de criança, estremeço e sinto que uma lágrima se desfia silenciosa pela face. E gosto dessa lágrima; quando se chora é porque o coração está vivo, é porque embora embotado em parte, tem ainda um lado sensível que o lodo do mundo não pôde manchar.

Por isso eu gosto de chorar, e apraz-me, às vezes, quando estou sozinho, mergulhar o pensamento nesse passado que já vai tão longe, e pelo poder da imaginação vejo, sinto e gozo tudo que vi, sentí e gozei nessa idade de risos e de amores.

Minha querida infância!

II

Nascí em... não, não digo o nome do lugar onde eu nascí.

Para que?... Hoje, na casa em que vi a luz, moram estranhos, e estranhos não sabem nem podem compreender o encanto que eu achava nessa pequena casa, para mim mais bela que todos os palácios do mundo.

Moram estranhos, e quem sabe? talvez que suas mãos profanas fossem derribar a figueira velha que me viu nascer, e arrancar as roseiras que eu mesmo plantara no canto do jardim!

Oh! se eu entrasse agora nessa casa, estou certo que ao transpor a porta cairia de joelhos, e que a minha alma, transbordando de saudade, havia de romper em um desses choros prolongados e sentidos que revelam uma dor profunda. Algumas das recordações vagas que conservo se avivariam então, santas reminiscências do lar me cercariam, e com o rosto escondido nas mãos, sufocado em pranto, julgaria ouvir o eco de vozes já extintas e soar de novo a meus ouvidos o canto melancólico com que minha mãe acalentava a irmã pequenina!

Não quero entrar nessa casa; far-me-ia mal...

III

Nascí no campo, e ao desprender-me das faixas infantís, ao saltar do berço, vi quase ao mesmo tempo o céu e o mar, os campos e as matas. Não foi na cidade, onde se morre abafado, não; foi ao ar livre, e, infante ainda, senti a brisa da praia brincar com meus cabelos e o vento da montanha trazer-me de longe o perfume das florestas.

Que deliciosa vida aquela! Como eu corria por aqueles prados! Que colheita que fazia de flores! Que destemido caçador de borboletas!

Ah! meus oito anos! Quem me dera tornar a tê-los!... Mas... nada, não queria, não; aos oito anos ia eu para a escola, e confesso francamente que a palmatória não me deixou grandes saudades.

IV

Mas o que me acontecia quando eu era pequeno, aquilo que vos quero contar, é uma cousa que decerto tem acontecido a todas as crianças e em que bem poucas terão feito reparo.

Era uma mulher duma beleza extrema e de uma graça encantadora que, sempre coroada de rosas e sorrindo-se ternamente, vinha todos os dias associar-se a nossos folguedos e partilhar nossas alegrias e pesares. Era uma virgem; dizia-o a pureza de seus belos olhos e a suavidade da fala.

Apesar de tantos anos, vou tentar pintá-la como a vi na infância. Se o retrato sair imperfeito e as cores esmorecidas, desculpem-me; a minha paleta não é variada, e ao tocar nessas páginas do coração, a mão treme e o pincel enodoa a tela.

V

Já lestes aquele lindo conto de fada que um espirituoso folhetinista escreveu a propósito de Thalberg? Se o lestes quase que conheceis a minha virgem, porque desconfio que ela e a fada eram amigas muito íntimas.

— Era bela, já vos disse, e não acho com que a possa comparar.

— Uma vestal?

— Seria! mas seu rosto divinamente belo, nem sempre tinha essa suavidade angélica das vestais antigas, e seus olhos, segundo ela me disse depois, se umas vezes morriam de voluptuosidade, outras faiscavam de cólera. Naquele tempo eu vi-a sempre bondosa, terna e ingênua.

Quando ela sacudia aquela cabeça digna da estatuária antiga, os seus cabelos, seus lindos cabelos louros, presos na fronte por uma grinalda, fugiam e flutuavam livres em graciosos aneis.

Trajava roupas talares, tão alvas, e tão alvas, que todos nós temiamos manchá-las quando as tocávamos. Era muito linda; mas o que eu sobretudo admirava, na minha ingenuidade infantil, era a pureza e o brilho de seus olhos azues, que refletiam a côr do céu. Como eram belos! Nas horas de oração, de joelhos a nosso lado, ela erguia esses olhos para Deus e conservava-os assim longo tempo como num êxtase. então eu via que, suspensa de suas pálpebras, tremia e brilhava uma lágrima como o cristal no lampadário do templo. E chorávamos tambem, e uníamos nossas vozes frescas à sua voz melodiosa, que entoava o cântico da infância, sublime de simplicidade.

A minha virgem vivia sempre cantando; mas fazia-o com tal suavidade, com tal sentimento, que nós, suspensos e imóveis, ficávamos presos a esse doce gorgeio, que nos despertava sensações desconhecidas.

VI

— Mas, perguntará o leitor, quem era essa virgem! Donde tinha vindo?

— Adivinhem. Veiu do céu, e quando Deus concluiu o mundo, ela achou-se de pé no meio da criação esplêndida, aparecendo em toda a parte e a todo o momento: de manhã ao despontar da aurora, de tarde ao declinar do dia e de noite ao clarão da lua.

Filha do céu, foi formada dum sorriso do Eterno, brincou com as asas dum querubim, e no Éden debruçou-se sobre o ombro de Eva, quando a natureza pasmava diante da mais perfeita obra do Criador.

O seu nome, quando eu era pequeno, não o sabia; chamava-a unicamente — a Virgem Loura.

VII

Era muito nossa amiga, nunca nos abandonava, e era belo ver um grupo de crianças, frescas e alegres como um dia de maio, cobrindo de beijos e caricias essa — Virgem Loura — a quem todos chamavam: sua irmã.

Se a tarde era linda, se as águas quietas do rio refletiam toda a pureza deste céu brasileiro, se a brisa ciciava na folhagem da mangueira, então corriamos todos para o campo e iamos folgar à beira do riacho. Aí cada qual colhia flores; um trazia rosas, outro açucenas, outro boas-noites; e rosas, açucenas, boas-noites, violetas, e todas as flores da campina, formavam ramos gigantes e formosas grinaldas com que coroavamos a — Virgem Loura.

Cercada de tanto perfume, coberta de tantas flores, parecia um verdadeiro jardim! As folhas de rosas escondidas nas suas tranças douradas caidas no colo, no regaço, por toda a parte, diminuiam-lhe a alvura das vestes e a palidez encantadora do rosto. Mas se lhe davamos flores, ela pagava-nos com beijos.

Outras vezes iamos à praia apanhar conchas, gritávamos com o mar, e o gigante encolerizado bramia e recuava! depois, tranquila, a onda vinha lamber a areia e fugia murmurando uma queixa.

Se batia o sino — Ave-Maria — ela orava conosco, e não sei, parecia-me que a oração assim tinha mais valor e que a Virgem Mãe sorria-se satisfeita às preces da infância.

Muitas vezes, acordando de noite, achei a — Virgem Loura — à minha cabeceira; anjo da guarda, velava o meu sono de inocência e velava tambem o das outras crianças, porque ela reproduzia-se e aparecia em mais dum lugar ao mesmo tempo.

Tudo isto fez com que eu lhe consagrasse uma amizade terna, santa e profunda, que nada pôde apagar; mas, creio que aos meus companheiros não aconteceu o mesmo. Muitos deles, envolvidos no turbilhão do mundo, esqueceram em breve essas cenas e esses amores cândidos que matizam o alvorecer da vida.

VIII

Passou-se a idade infantil, entrei nos meus quinze anos, e a minha alma de adolescente, opulenta de seiva, rica de sentimento, expandia-se livre a todos os afetos nobres e santos como a flor da solidão aos raios do sol nascente.

Amei.

E quem deixa de amar aos quinze anos. Quem, se nessa idade a nossa alma se apaixona tão facilmente?

Se não for a uma mulher, há-de ser às flores, às ondas, a Deus, e debalde perguntamos porque se inclina a nossa fronte languidamente e porque se nos fecham os olhos amortecidos.

Oh! aos quinze anos o coração pede amor como a terra sequiosa pede as chuvas do céu, como a flor pendida uma gota de orvalho. Aos quinze anos, temos necessidade de amar, e os lábios que escaldam desejam que os beijos de uma mulher venham matar a sede que os abrasa.

Aos quinze anos amei.

Mas era esse amor puro e cândido como nunca mais sentí; amor que deixou vestígios imorredouros porque foi o primeiro, e que, hoje inteiramente perdido para mim, ainda constitue uma das mais gratas recordações da minha vida.

Nessa época de felicidade íntima, em que meu coração novél lia pela vez primeira as páginas dum livro que nunca havia aberto; nessa época em que a minha alma cheia de entusiasmo nadava em ondas de harmonia; nessa época a — Virgem Loura — esteve constantemente a meu lado.

Horas longas e longas, no silêncio augusto da noite, inclinada sobre meu ombro, ela murmurava queixumes de amor e minha mão corria sobre o papel procurando reproduzir o que me fervia na mente.

IX

Fui feliz! muito feliz!

Às vezes, inebriada de tanta ventura, entumecida de tanto gozo, a minha alma ardente e apaixonada soltava palavras incoerentes, gritos mesmo, ria e chorava simultaneamente, e não há palavras que possam traduzir o que eu sentia.

Houve então alguem que me chamou poeta.

X

Mas depois... a — Virgem Loura — voluvel e caprichosa como todas as mulheres, abandonou-me.

Foi num dia... lembro-me perfeitamente, foi num dia de setembro. Abafando o grito de lamentos de minha vocação contrariada, fui sentar-me à carteira dum escritório e embrenhei-me no mundo dos algarismos! Abracei a vida comercial, essa vida prosaica que absorve todas as faculdades num único pensamento, o dinheiro, e que, se não debilita o corpo pelo menos enfraquece e mata a inteligência.

Fatal dia! negra hora.

Desde então fugiu-me a — Virgem Loura — e debalde a tenho procurado ao clarão da lua, na luz das estrelas, nas ondas do mar· nas flores do prado, em tudo; nunca mais a ví!

Hoje a minha alma, árida e triste de tanto sonho dourado e de tanta ilusão brilhante, só tem lágrimas para chorar esses belos dias em que **ela** me dizia os seus segredos divinos.

Ai de mim! parece-me que ouço uma voz pausada e fria murmurar estas palavras de gelo: — **Nunca mais hás de encontrá-la!**

*

* *

— Mas quem era a — Virgem Loura?

— A de olhos azues?

— Sim.

— Aquela que eu amava?

— Sim.

— Pois não adivinharam?!... Era a — poesia.

I I

CAMILA

MEMÓRIAS DE UMA VIRGEM

Fragmentos

Decididamente estamos na época dos romances. Está provado que não se pode passar sem eles; todos são necessários, porque todos são uteis. Uns, deleitam pela suavidade do estilo; outros, são excelentes narcóticos. Este pertence aos últimos, e se eu não estivesse convencido de quanta utilidade pode ele ser a um desgraçado que não durma há três dias, de certo não o escreveria.

E' verdade que incomodo horrivelmente os pacíficos cidadãos acostumados às belezas de Musset ou de Vigny, de Balzac ou Dumas; mas tenham paciência: é preciso provar de tudo. Unicamente para não se assustarem dir-lhes-ei que são apenas cinco ou seis capítulos.

Dado este cavaco, que fica servindo de prólogo, eu principio.

I

Era uma noite de...

Ah! é verdade; ia-me esquecendo de lhes dizer que este capítulo passa-se em Lisboa. Eu torno a principiar.

Era uma noite de fevereiro de 1856; noite tempestuosa, fria, aborrecida.

Fechado no meu quarto sozinho, ao lado a pena e o tinteiro, debruçado sobre um livro, eu estudava.

O relógio acabara de bater pausadamente onze horas. Fechei o livro· encostei a cabeça a uma das mãos e comecei a pensar.

A chuva fustigava fortemente os vidros, o vento zunia pelas frestas da janela, e aquela monotonia e aborrecimento duma noite chuvosa foi-me, pouco a pouco, entorpecendo o espírito, até que caí numa espécie de tristeza, direi melhor de indolência, que me é frequente e que mesmo não sei definir.

Em que pensava eu?

No Brasil, em minha mãe, na minha infância.

E muito triste estar-se longe da pátria, é. Sempre esse mesmo pensamento na morte, sempre essa mesma saudade no coração!

Abrí maquinalmente a minha pasta e comecei a folhear distraido os pobres manuscritos que a enchiam. Aquí era uma cópia apaixonada, além um suspiro de proscrito, um canto de saudade! No mesmo caderno de papel, dum lado as primeiras cenas duma comédia, do outro o esboço dum romance, entretenimento das minhas horas vagas.

Mocidade! mocidade! Quadra de sonhos, de esperanças, de ilusões!

E qual é o rapaz que à noite, no meio dum silêncio augusto, não pensa, não fantasia e não entrega ao papel as primeiras notas trêmulas de sua lira, as primeiras criações defeituosas da sua imaginação ardente?

Nenhum.

E o proscrito?

Oh! esse medita e chora, e na oração da noite que rebenta fervorosa d'alma, pede a Deus que o leve a ver outra vez o céu sempre poético da pátria, os campos sempre formosos da terra que o viu nascer.

De repente entre os meus papeis deparei com um número já antigo do **Brás Tisana**. Sorrí-me como outro qualquer teria feito. Era a jovialidade que me vinha visitar, era o estilo estouvado, cheio de espírito e maícia do chistoso companheiro da Gertrudes, que vinha arrancar-me das sorumbáticas reflexões em que eu estava atolado.

Depois de ler a carta do boticário que aponta sem dó os ridículos desta sociedade enfatuada, continuei a remexer na pasta, que — sem ser preciso abrir parêntesis — era um bazar em miniatura, uma verdadeira torre de Babel de confusão.

Cousa estranha! Dou com outro número do **Brás Tisana!**

Este não trazia correspondência, mas em paga apresentava o começo dum lindo capítulo do romance de Arnaldo Gama — **O Gênio do mal.**

Li o folhetim com avidez e daria tudo para ler a continuação. Desde que este romance se começou a publicar no **Brás Tisana**, seguí-o sempre com o vivo interesse que sabe despertar o seu talentoso autor, e ora pensando no corpo airoso e flexível de Maria, a namorada de Felipe, ora sonhando com essa Matilde endiabrada, ardente e caprichosa, comecei a sentir uma vontade extraordinária de ver a cidade do Pôrto onde se desenrolam as cenas desse drama imenso.

Ora já vêem que a leitura do folhetim tinha mudado completamente o curso das minhas idéias. Comecei pois a fantasiar o Pôrto.

Vi a cidade invicta recostada soberba nas suas colinas, e o Douro, que lhe banha os cais, estorcendo-se por entre margens pitorescas, lançar-se no oceano depois de espumar raivoso nos rochedos da Foz. Subí, no pensamento, a rua de Santo Antônio e entranhei-me no âmago da cidade. Passei pelo decantado sítio das Fontainhas, sentei-me no jardim de S. Lázaro, vi a praça

Nova, entrei no Guichard, orei em Santo Ildefonso, debrucei-me na ponte pênsil... e finalmente depois de muito cansado instalei-me na Águia de Ouro!

E o vapor saía no dia seguinte! E se eu fosse de passagem nele, como saudaria com alvoroço essas muralhas venerandas que suportaram o terrível ribombo dos canhões dum cêrco violento! Como eu diria com entusiasmo, de pé na popa do vapor: salve Pôrto! realizou-se enfim o meu sonho, porque te vejo ainda melhor do que te fantasiara!...

Estava com estes pensamentos quando o relógio batia onze e meia.

Maldito relógio, vieste desfazer o meu poético castelo!

Onze e meia! murmurei eu, são horas de me deitar. Fechei a pasta, guardei os livros, despí-me e... com o maior sossego do mundo enfronhei-me em vale de lençóis.

A chuva continuava a cair, alguns relâmpagos de vez em quando alumiavam o espaço, e um silêncio imenso, só quebrado pela queda da água, envolvia o meu quarto.

Como é belo estar na cama bem agasalhado numa noite de chuva! Dorme-se que é um regalo!

Foi por isso que não conversei muito tempo com o travesseiro. Dous minutos depois, se não estava morto, também não dava muitos sinais de vida. Podia chover, trovejar; tocarem música ou dansarem, para mim era o mesmo. Dormia a bom dormir.

II

Era uma bela manhã. O rio estava formoso, o sol brilhava vívido, e o **Duque do Pôrto,** coroado por um penacho de fumo, pronto a sair, balançava-se nas águas do Tejo.

Um bote impelido por dois remos afastava-me do cais das colunas, aproando direito ao vapor. Eu tambem ia para o Pôrto; ia ver a pérola do Minho que se debruça graciosa sobre a corrente ligeira do Douro.

E o vapor cortava rápido a veia do rio e deixava após si Lisboa, Belem, Paço d'Arcos, e passando entre o Bugio e S. Julião barra fora, afrontava destemido os vagalhões do oceano oscilando de popa a proa.

Gosto muito de estar embarcado: satisfaz-me o contemplar o oceano em toda a sua vastidão e isolamento; acho poesia imensa no céu profundo de uma noite de Maio, quando as estrelas espalham seus reflexos trêmulos sobre as águas agitadas: é-me grato ao ouvido o canto monótono do marujo repassado de saudade... mas todas as vezes que me embarco — enjôo.

Ora, não sei se sabem, o enjôo é a moléstia mais estúpida do mundo; torna o homem num estado quase bruto, enfraquece ao mesmo tempo o corpo e o espírito.

Apenas tinha o vapor transposto a barra, já quase todos os passageiros se haviam recolhido a seus beliches. Eu, a muito custo resistia ainda. Sentado num banco, com os olhos fitos nas vagas que espumavam ao longe, não sei verdadeiramente dizer em que pensava naquele momento — se é que realmente eu pensava!

A meu lado estava um sujeito a quem nem sequer me dei ao incômodo de analisar as feições.

— O sr. vai para o Pôrto, não? disse-me êle.

Levantei a cabeça e olhei para o homem admirado. A pergunta era tola. Para onde diabo havia eu de ir senão para o Pôrto! Só se me levasse a breca, porque nesse caso ia para o outro mundo.

O meu amigo parecia esperar a resposta.

Respondi-lhe afirmativamente, inclinando a cabeça.

— E' a primeira vez que lá vai? continuou ele.

O mesmo sinal com a cabeça.

— Pois o sr. nunca foi ao Pôrto?...

Sinal negativo da minha parte.

— Pois olhe, admira.

Eu fiquei imóvel.

— O Pôrto é uma bonita cidade.

Encolhí os ombros.

— Tem boas ruas, soberbos edifícios, muito comércio, excelente vinho, grandes cebolas, raparigas lindíssimas etc. etc., etc., e o homem continuou, num tom de declamação teatral a tecer o elogio do Pôrto. Logo vi pelas primeiras palavras, que estava a contas com um minhoto; era preciso ser um santo, para encarar a sangue frio a terrível maçada que me ameaçava.

— Meu caro Senhor — disse-lhe eu erguendo-me e cambaleando já meio atrapalhado com os balanços do vapor, — queira desculpar-me, porem, não me sinto bom, preciso estar deitado... e se me dá licença.

— Ah! ah! disse ele, rindo-se com um modo aparvalhado, já está enjoado, hein? é falta de costume. Olhe — continuou ele enquanto eu descia a escada da câmara — a gente estar deitada é ainda pior; coma bem, beba melhor, passeie e o enjôo vai-se.

Obrigado, respondi eu cortezmente e cá comigo acrescentei — forte bruto!

Quanto tempo estive deitado, não sei; ergui-me só quando ouvi alguns passageiros exclamarem: avista-se o Pôrto!

Avista-se o Pôrto! repetí eu; então quero cumprir a promessa que fiz em Lisboa, quero de pé, sobre a popa do vapor, saudar a cidade invicta.

E nos abraçávamos sempre e eu dizia: eis o célebre Cabedelo, eis o castelo da Foz, ali é o farol de N. S. da Luz; e quando entrei a barra, acrescentei também: aquí, de encontro a estes rochedos, têm naufragado muitos navios, têm perecido muitas pessoas! E a lembrança do vapor **Pôrto** cruzou-se-me no pensamento, e inclinei-me insensivelmente sobre o abismo para recolher um gemido, um ai pungente de agonia de alguma vítima, ou para descobrir as formas graciosas dessa donzela pálida que as ondas enguliram.

A cidade do Pôrto é linda. Que majestade e que poesia não tem o Douro rolando impetuoso! E a torre dos Clérigos, erguendo-se colosso por sobre tudo que a cerca!... E ao fundo desse painel soberbo, a serra de Pilar com todas as suas recordações gloriosas!

E eu, de braços cruzados, contemplava mudo o teatro de uma luta gigante, fratricida sim, mas em que a liberdade havia campeado; contemplava a cidade que recebera em seu seio o vencido de Novara, cuja morte inspirara ao grande lírico português um dos trechos mais sublimes da poesia moderna.

Quem há aí que não saiba de cor o **Ave César** — e que em frente do Pôrto não saude com entusiasmo

> Esse berço de muralhas
> Que fez livre Portugal?!

Uma hora depois desembarcava e olhava para tudo com atenção, porque tudo para mim era novo. Eu, que tinha quase a certeza de não encontrar alí pessoa alguma conhecida, de repente ao dobrar uma esquina, dou cara a cara com um antigo condiscípulo meu.

— Ernesto!

— Casimiro!

Dissemos ao mesmo tempo um e outro, e ambos nos abraçamos.

— Já cá estás há muito? perguntou-me ele.

— Agora mesmo desembarco; e tu?

— Há mais de um mês.

— Em que hospedaria?

— Na Águia de Ouro.

— Na Águia de Ouro?!

— Sim, na Águia de Ouro. Porque diabo te espantas?

— Com a fortuna! E' justamente para onde vou, e encontro-te logo para companheiro! Na verdade, se tudo aqui me correr assim, sou feliz, não há dúvida.

— Vens tratar de algum negócio?

— Não, vim passear; vim ver uma cidade que ainda não tinha visto.

— Então deixa estar, hei de mostrar-te o Pôrto por dentro e por fora. Enfia o braço; vamos à Águia de Ouro.

— Pois vamos.

— E a tua bagagem?

— Já lá vai adiante.

— Bom.

E depois de caminharmos um pedaço, olhando um para o outro, exclamámos ao mesmo tempo:

— Ora que ratice!... Encontramo-nos sem esperar, no fim de tanto tempo de separação!

E ambos soltámos uma gargalhada de rapaz estouvado.

III

E' rara a hospedaria de renome que não se chame Águia de Ouro, Leão de Ouro, Urso Branco, Urso Vermelho, ou outra cousa semelhante; no entanto afirmo que aquela em que me instalei não é invenção minha, porque lá existe com efeito no Pôrto a hospedaria da Águia de Ouro.

Foi pois para ela que caminhamos, Ernesto e eu, conversando alegremente, e no fim de um quarto de hora estávamos a contas com o estalajadeiro que, a pedido meu, alojou-me no mesmo quarto que Ernesto ocupava.

Sem saber porque, ia fazendo o mesmo que o meu amigo fazia com toda a negligência: mudava de toalete.

— Não sei se sabes que me caso hoje, disse-me ele com a maior seriedade, enquanto arranjava o laço da gravata diante de um espelho.

— Dou-te os parabens, respondí eu rindo-me porque tomava o negócio por brincadeira.

— Espero da tua amizade, continuou ele cada vez mais sério, que serás meu padrinho.

— Essa é boa! tornei-lhe eu, não sabendo se devia acreditar ou não; estou pronto. Mas dize-me, a noiva é moça ou velha?

— Vinte e seis anos.

— Bonita ou feia?

— Linda como os amores.

— E chama-se?

— Camila.

— Ora essa! disse eu, deixando cair insensivelmente uma bota que ia calçar.

— Tu conhece-la? perguntou-me Ernesto.

— De nome... de nome; tenho ouvido falar muitas vezes nessa mulher...

— Romântica, não?

— Romântica, sim, romântica; e mau grado meu, soltei uma gargalhada forçada.

— Pois é verdade, caso-me com ela hoje.

— Por amor?

— Ora, filho, tornou-se Ernesto, deves saber que é palavra que não há no meu dicionário. Ela casa-se comigo por capricho, por fantasia; e eu cedo a essa fantasia, a esse capricho, porque ambiciono ser rico, porque casando-me venho a ser possuidor da fortuna colossal de Camila. No entanto, acrescentou ele pensativo, há uma cousa que me intimida. Esta mulher tem querido esposar três rapazes, e todos três morreram horas antes da festa nupcial; da quarta vez dizem que morre ela, mas pode muito bem suceder o contrário, e se a cobiça me impele a dar este passo, a razão faz-me recuar aterrado.

Ernesto estava pálido quando acabou de falar e tinha-se deixado cair sobre uma cadeira, brincando com a corrente do relógio.

Eu, encostado à cômoda, imóvel como uma estátua, sentia que não estava no meu estado natural. Tinha visto, em Lisboa, Camila, e a sua imagem tinha-me ficado gravada em fogo na mente. Não podia ficar impassível, vendo-a lançar-se nos braços de outro homem: não podia a sangue frio ver desvanecer-se o mais belo sonho da minha vida.

E se a Camila de Ernesto não fosse a mesma? Era quase impossível; mas, enfim sempre era uma esperança.

Perguntei-lhe, pois, se tinha o seu retrato.

— Olha, disse-me ele apontando para a cômoda, abre essa segunda gaveta de cima; há de aí estar.

Abri a gaveta, e peguei num retrato cravado no meio de uma rica moldura. As mãos tremiam-me e o coração batia fortemente. Olhei... e apesar de não ser da moda, estive quase a soltar um grito de raiva. O retrato era de Camila.

— Meu querido Ernesto, disse-lhe eu, se te casares estimarei que sejas feliz; mas não posso ser teu padrinho, peço-te que me dispenses.

— Então, por que?

— Ora, Ernesto se tu amasses uma mulher, de certo não irias assistir ao seu casamento com outro.

Ernesto levantou-se e travou-me da mão.

— Amas Camila!? perguntou-me ele.

— Amo-a, sim.

— E ela?

— Não sei; ou para melhor dizer: nem me conhece, porque lhe falei unicamente uma vez.

— Oh! Oh! fez Ernesto estalando um fósforo e mordendo com todo o vagar um charuto de pataco, temos paixão romântica?! Estou com vontade de saber essa história.

— Pois eu ta conto. E' simples como o são todas as histórias de amor. Camila esteve em Lisboa, vi-a como todo o mundo a viu; mas o que talvez ninguem fez, fiz eu: amei-a. Cruzei um segundo os meus olhos com os dela, e aquele olhar terno e lânguido fez-me mal. Desde a primeira vez que a vi, pensei só nela, seguia-a por toda a parte, porque tinha necessidade de a ver, era um íman que me atraía.

Escuta, Ernesto, era uma paixão louca, uma efervescência dos sentidos, um desvario da razão. Teria dado metade da minha vida por um beijo daquela mulher; teria até dado a minha alma para rolar-me como um sibarita no divã em que ela tivesse reclinada, para aspirar os perfumes embriagantes que a cercavam.

Uma noite fui ao S. Carlos, ela lá estava num camarote, bela, deslumbrante de joias e beleza, sedutora! Representava-se o Trovador. No intervalo do 2.º ato fui apresentado por um amigo meu e ela recebeu-me com um sorriso.

A nossa conversação foi pouco a pouco caindo no amor. Eu estava extático quando ela falava; cada palavra daquela mulher, coada por entre dois lábios extremamente voluptuosos, vibrava-me ao mesmo tempo no ouvido e no coração.

— O senhor já amou? perguntou-me ela.

— Amo, minha senhora; respondí-lhe eu.

— E o que daria a essa mulher que ama?

— Todos os meus pensamentos por um beijo seu.

— Oh! disse Camila, como duvidando.

— Toda a minha vida por uma hora da sua acresceitei olhando-a fixamente.

Ela guardou silêncio.

— A salvação da minha alma, se na hora derradeira ela jurasse que me tinha amor.

Camila sorriu-se e respondeu-me: é muito. Depois, erguendo os olhos, disse em voz muito baixa:

— Eu se amasse um homem, dava-lhe... o meu amor.

E correu a platéia inteira com o seu óculo de marfim.

Desde essa noite, Ernesto, nunca mais a vi.

Mal tinha acabado estas palavras, quando uma carruagem parou à porta do Hotel.

— Vem a propósito, disse Ernesto depois de ter chegado à janela.

— O que? A carruagem?

— Sim; é o trem de Camila que vem buscar-me.

— Deixas-me já?

— Pelo contrário, levo-te comigo.

— Estás doido!

— O que! Pois recusas acompanhar-me?

— À casa dela, recuso.

— Mas é que nós não vamos agora lá.

— Então acompanho-te.

Descemos a escada, e dois minutos depois rodava a carruagem ao largo trote de dois magníficos cavalos.

Livros de Bôlso

POESIAS

Manuel Bandeira:

LE 429 **APRESENTAÇÃO DA POESIA BRASILEIRA.** — Um ensaio incomparável de nossa poesia. Prefácio de Otto Maria Carpeaux. 450 págs

CR 431 **ANTOLOGIA DOS POETAS BRASILEIROS. — Fase Romântica.** Revisão crítica em consulta com o autor, por Aurélio Buarque de Hollanda.

CP 432 **ANTOLOGIA DOS POETAS BRASILEIROS. — Fase Parnasiana.** Revisão crítica em consulta com o autor, por Aurélio Buarque de Hollanda.

ES 465 **ANTOLOGIA DOS POETAS BRASILEIROS. — Fase Simbolista.** Com estudo introdutivo do próprio autor.

CP 1470 **O RUBAIYAT DE OMAR KHAYYAM**

Poesias Completas:

CR 430 **POEMAS ESCOLHIDOS.** — Catullo da Paixão Cearense. Seleção organizada, anotada e revista por Guimarães Martins. 360 págs.

LE 434 **POESIAS COMPLETAS DE GONÇALVES DIAS.** — Prefácios de Josué Montello e M. Nogueira da Silva. 510 págs.

LE 1212 **POESIAS COMPLETAS DE ÁLVARES DE AZEVEDO.** — Com prefácios de Attílio Milano e Edgard Cavalheiro.

ES 1213 **POESIAS COMPLETAS DE CRUZ E SOUSA.** — Com um estudo introdutivo de Tasso da Silveira.

CP 1218 **BILAC: TEMPO E POESIA.** — Osmar Barbosa. Um estudo crítico e biográfico, seguido de antologia e notas.

AG 1214 **POESIAS COMPLETAS DE FAGUNDES VARELA.** — Com um estudo introdutivo de Mário Donato.

CLÁSSICOS DE BÔLSO CLÁSSICOS DE BÔLSO CLÁSSICOS DE BÔLSO CLÁSSICOS DE BÔLSO CLÁSSICOS DE BÔLSO

POESIAS

Sonetos Clássicos:

ES 194 **SONETOS DE BOCAGE.** — Apresentação, Seleção e Notas de Fernando Mendes de Almeida. Ilustrações de Aldemir Martins.

ES 380 **SONETOS DE SHAKESPEARE.** — Tradução, Introdução e Notas de Péricles da Silva Ramos. Ilustrações de Pedro Riu.

Diversos:

1193 **O LIVRO DE OURO DA POESIA RELIGIOSA BRASILEIRA.** — Seleção, Prefácio e Notas de Jamil Almansur Haddad.

1192 **HISTÓRIA POÉTICA DO BRASIL.** — Tôda a nossa história, como foi narrada pelos grandes poetas. Seleção e Introdução de Jamil Almansur Haddad.

1191 **PEQUENO DICIONÁRIO DE ARTE POÉTICA.** — Geir Campos. 618 verbetes e remissões, com farta exemplificação e resenha bibliográfica. Referência acessível a todos os estudiosos do fenômeno poético.

CP 319 **OS 150 MAIS CÉLEBRES SONETOS DA LÍNGUA PORTUGUÊSA.** — José Schiavo. Antologia de poetas brasileiros e portuguêses com pequenas biografias.

CP 441 **AS PRIMAVERAS.** — Casimiro de Abreu. — Brasileiras; Cânticos; Canções do Exílio; As Primaveras etc.

ES 5913 **OS ENCANTOS DA MULHER NUA.** — Antologia de I. Costa Cotrim, ampliada, revista e com apresentação de J. G. de Araújo Jorge.

ES 442 **OS ESCRAVOS E CACHOEIRA DE PAULO AFONSO.** — Castro Alves. Ilustrado por Edmundo Rodrigues.

ES 443 **ESPUMAS FLUTUANTES.** — Castro Alves. Contendo também "O Navio Negreiro" e "Vozes d'África".

CP 464 **O LIVRO DE OURO DAS POESIAS DE AMOR.** — Osmar Barbosa. Poetas brasileiros, portuguêses e traduções escolhidas.

SL = (SÊLO)	CR = (COROA)	PL = (PALMA)
ES = (ESTRÊLA)	LE = (LEÃO)	**Se não encontrar em seu revendedor peça por Reembôlso Postal**
CP = (COPA)	AG = (ÁGUIA)	

à CAIXA POSTAL, 1880-ZC-00 RIO DE JANEIRO, GB

Se não encontrar em seu revendedor habitual, procure nos seguintes pontos:

GUANABARA (RIO)

CINELÂNDIA:
ao lado da Perfumaria Carneiro

AVENIDA:
ed. Avenida Central, loja 4

CENTRO:
av. Marechal Floriano, 39

TIRADENTES:
hall do Cine Presidente

QUITANDA:
rua da Quitanda, 27

COPACABANA:
rua Santa Clara, 33-D
rua Bolivar, 80-A

MADUREIRA:
hall do Cine Coliseu

SÃO PAULO

SÃO PAULO:
rua Conselheiro Crispiniano, 403
hall do Cine Ipiranga
hall do Cine Piratininga
Estação Rodoviária

CAMPINAS:
rua Barão de Jaraguá, 1036

MOGI DAS CRUZES:
r. Dr. Deodato Wertheimer, 394

MINAS GERAIS

BELO HORIZONTE:
av. Amazonas, 471 - loja 3 - Shopping Center

GOVERNADOR VALADARES:
rua Bárbara Heliodora, 579

JUIZ DE FORA:
Galeria Central, loja B

MATO GROSSO

CAMPO GRANDE:
av. Afonso Pena, 259

PARÁ

BELÉM:
av. Padre Eutiquio, 207

AMAZONAS

MANAUS:
rua Henrique Martins, 164

PARANÁ

CURITIBA:
rua 15 de Novembro, 423/7
rua 15 de Novembro, 556

BAHIA

SALVADOR:
r. Horácio Cézar, 2-loja-Mercês
pça. da Sé, 4
Estação Rodoviária - Box 4
Pça. Ramos de Queiróz, 2 - Plano Inclinado

FEIRA DE SANT'ANNA:
av. Senhor dos Passos, 957

RIO GRANDE DO SUL

PÔRTO ALEGRE:
Galeria Rosário - loja 2H/1

PARAÍBA

JOÃO PESSOA:
rua Duque de Caxias, 560-s/8

CAMPINA GRANDE:
rua Irineu Joffily, 28

PERNAMBUCO

RECIFE:
rua 1.º de Março, 14 a 24

CEARÁ

FORTALEZA:
rua Guilherme Rocha, 183
rua Guilherme Rocha, 335

ALAGÔAS

MACEIÓ;
rua do Comércio, 258

SANTA CATARINA

FLORIANÓPOLIS;
rua Tiradentes, 58